日本一周中に彼女が余命宣告されました。

～すい臓がんステージ4 カップルYouTuber 愛の闘病記～

サニージャーニー
こうへい、みずき

双葉社

「このままじゃティッシュがなくなってしまう」

彼女が告知をされたときに僕が考えていたのは、そんな場違いなことだ。

患者衣の彼女、彼女の母、主治医の先生、看護師さん、そして僕の５人が集まっている病院の簡素な白い部屋で、僕だけが泣いている。他の４人の涙も僕の涙腺から流れてしまっているのではと思うほど、涙は流れ続ける。

看護師さんが箱ごと渡してくれたティッシュがみるみる僕の涙を吸収していき、もう箱が空になってしまいそうだ。

「みずきさんはすい臓がんです」

涙の原因は、数分前に先生から放たれたその一言だった。

第1章　出会い

「日本最後の秘境」と呼ばれる南西の果ての亜熱帯の島、西表島《いりおもてじま》で僕たちは出会った。

僕は西表島のホテルのスタッフ。その日もよく晴れていて、代わり映えしない業務をいつものように淡々とこなしていた。

こうした刺激のない場では、噂は一瞬で駆け巡る。

「やべぇヤツが入職してくるらしいよ」

僕たちの働いていたホテルではリゾートバイトのスタッフがたくさんいて、僕もそのひとりだ。全国のリゾート地に住み込みで働く、短期バイトの雇用形態。3カ月から半年くらいの期間がほとんどである。

その雇用形態の自由さから、あまり後先考えないタイプの、世間一般の常識からズレている人がよく入ってくる。僕もそうだ。27歳でオーストラリアに留学し、その後また海外に行くお金を貯めるために、西表島でリゾバをしていた。

クセのある人が一定の割合で紛れ込んでいるので、大体入職から数日は「こいつ大丈夫かな？」という目で様子を見られる。しかし、島に来る前から「やべえヤツ」と噂《うわさ》が立つのは珍しい。

噂の発端はこうだ。

西表島に入るには石垣島の空港からバスで約40分かけて離島ターミナルという港へ行き、そこから船に乗る。船でさらに40分ほどかけて、やっとこの島に到着する。

しかし噂の人物は、スーツケースを空港に置き去りにしてバスに乗り、船に乗るタイミングで「ない!!」と気づいたらしい。

そんなことある？

そもそも3カ月くらい生活するつもりなのだから、スーツケースはかなり大きいはずだ。そんなに大きい荷物を忘れたりするだろうか？　いや、それ以前に、空港の預け入れ荷物を、取り忘れたりするものだろうか？

その噂の主であるみずきに実際に会ったのは、ホテルの従業員食堂だった。

シフトの関係で昼食が遅くなったため、時間外の食堂は電気が消えて薄暗く、窓からは強い日差しに椰子《やし》の木が照らされているのがよく見える。

そこにオリエンテーションでホテルを見学中のみずきがやってきた。僕に例の噂を教えてくれた上司と一緒に。

「よろしくお願いします」

丁寧に頭を下げたみずきは、外のおひさまみたいに明るい笑顔だった。第一印象はもちろんかわいかったが、噂のイメージが強すぎた。

みずきが頭を下げているとき、上司に「これが例の？」と目配せすると「そうそう」と視線で返ってきた。

その後、みずきは持ち前の明るさであっという間に島に溶け込んだ。あちこちに友達を作り、ホテル中のスタッフに愛された。

一方、僕は「再び海外へ行くためにお金を貯める」ということだけを考えていて、あまり社交的ではなかった。円滑に働けるように最低限のコミュニケーションは取るが、プライベートで誰かと遊ぶことはほぼない。時間があればひとりサーフボードを抱えて海に入り沖までパドルし、誰もいない海上で波に乗っていた。

また、そのときは遠距離恋愛中の彼女がいて、みずきに異性としての興味を抱いてはいなかった。「明るく楽しい人気者」のみずきと、「仕事は真面目だが何考えてるかわからない暗い人」の僕はほとんど交わることなく、数週間が過ぎていった。

転機が訪れたのは、僕の心境の変化からだ。

遠距離の彼女とは電話で話す回数も減り、それもかけるのはこちらばかり。徐々に心が離れていっていることがわかり、「もう向こうに気持ちはないんだろうな」と感じていた。

そうなってくると現金なもので、今の生活が物足りなく感じてくる。日本の果てで友達もいない。毎日働いて、海に行っての繰り返し。せっかく綺麗な島にいるのにこんな毎日でいいのだろうかと、その頃から同僚に声をかけて飲みに行ったりするようになった。

周りの人に興味を持つようになり、みずきのことも明るくて楽しい人だと再認識した。一緒に飲みにでも行きたいなと思うようになったが、あまりに眩《まぶ》しいみずきには、声をかけられずにいた。

だが、チャンスは訪れた。

僕たちの働いていたホテルでは、フロント業務でバスの受け入れがある。到着するお客様の人数に応じてフロントスタッフが正面玄関前で待機し、バスから担当のお客様を受け入れ、チェックインまで一貫してご案内する。

このときのお客様は2組だけ。僕とみずきがその受け入れ係として正面玄関で待っていた。

ホテルのエントランスはゆったりとしたロータリーになっていて、植え込みには椰子の木や南国の花々が植えられ、ジャングルのようだ。閑散期のためエントランスに人影はなく、聞こえるのはジャングルを抜ける風の音ばかり。


暇な僕たちは雑談を始めた。

みずきはこの日、最近入ってきた女性スタッフと飲みに行くという。

「僕も行っていいかな？」

自然と口から出ていた。

今考えると「なんでお前が来るねん」という感じだが、みずきはびっくりしながらもＯＫし、一緒に行くスタッフの了承も取ってくれた。

人生どこが分かれ道かわからない。このときの謎の強引さがなければ、今みずきと一緒にいることはなかったかもしれない。

飲み会からの帰り道、酔いつぶれた同僚を背負う僕を励ますように、いろいろな話をするみずき。満天の星の下で会話も弾み、なんとなく距離が近づいた気がした。

その後は、友達と星を見に行くのをみずきから誘ってくれたり、ジャングルにトレッキングに行ったり、海でＢＢＱをしたりと一緒に過ごす時間が増える。

どんなときにも誰にでも分け隔てなく明るく接するみずきを見て、心の美しい人なんだなと感じ、僕はそのそばにいることに心地のよさを覚え始めていた。

やがて完全にみずきに惹かれていると自覚した僕は、電話で遠距離中の彼女に別れを告げ（あっさりOKだった）、その晩にみずきを誘った。

「星を見に行こう！」

星を見に行くなんて告白する気満々に思えるかもしれないが、西表では普通に発生するイベントだ。「今日天気いいね。星見に行く？」「いいよ」という軽いノリで繰り出すことは結構ある。なにせ寮から数十メートルで満天の星が見れるし、流れ星も見放題だ。

だからみずきは全く警戒することもなく、いつものようにふたりで道に寝そべって満天の星を眺めた。

星を見ていると時間はあっという間に過ぎる。流れ星を数えるうち、どんどん星座の位置が移動して、気づけば東の空が白み始めていた。

ここで言わなければもう言えない……。

もうそろそろ帰ろうかという雰囲気になったところで「付き合ってください」とシンプルに伝えた。

みずきは相当驚いていた。そのときの返事は「考えさせてほしい」だった。

その後の記憶は曖昧だが、なんだかんだ断ろうとするみずきにとにかく押せ押せで、最終的にOKの返事をもらったと思う。出会ってから3カ月ほどが経っていた。

付き合いが始まってすぐ、契約を終えた僕が先に西表島を後にした。みずきはそのまま島に残り仕事を続け、約2カ月後にニセコで合流した。その後はふたりで一緒にリゾバをしながら、3年くらい各地を転々としていくことになる。

西表島→ニセコ→宮崎→伊豆→宮古島→2度目の西表島。そろそろどこかに定住して一緒に暮らそうかという話が自然と出てきたのは、西表島に戻った頃だった。

リゾバで貯めたお金でふたりでバリへ1カ月遊びに行き、そのあと、一度北海道の実家に帰りたいというみずきと、新たなリゾバで種子島に向かった僕は半年間の遠距離を経て、沖縄本島で一緒に暮らし始めた。

みずきさんから見てどうでした?

こうちゃんの第一印象は「日焼けしすぎ」!?

小学1年生から続けていた新体操を指導する側に回るまで続けて、ずっと北海道にいたから、道外に出てみたいなと思って。

自分の旅行先としては選ばなそうな場所に行ってみようと思って西表でのリゾートバイトを決めました。リゾバのこともよくわかってなかったんですけど、接客やサービスのスキルや、地域の特産品をどう商品化しているかなどにも興味があって、勉強しに行こうと思ってました。

まさか「やべぇヤツ」と思われてるなんてもちろん知らなくて（笑）。みんなと仲良くなってから、「実はそう思われてたんだよ」って聞きました。

こうちゃんの第一印象は……「日焼けしすぎ!」（笑）。

先輩スタッフから「他にもうひとり、こうへいくんっていう子がいて、『わ、日焼けしすぎ!』って思ったらその子だから」って教えられて。で、実際にそうだったので、ああこの人か、と。「日焼けしてるな」「背が高いな」と……あとニコニコしているなって印象でした。

突然のお誘いは、レアキャラをゲットした気分!?

スタッフ同士仲良くて、毎日のように誰かと飲み歩いてたんですけど、こうちゃんはどちらかと言えば「孤高の人」で、最初に飲みに行ったときも「レアキャラだ！」ぐらいの感じでした（笑）。私はいろんな人と話してみたいと思っていたから。

そのうちに、告白と言うか……「好きになってもいいかな？」っていうような感じで言われて。それに対して私は「やめたほうがいいよ」って（笑）。

遠距離の彼女の話も聞いていて、私は「もっとがんばんな！」って言ってたし。あと私自身、あまり恋愛に前向きではなくて、誰とも恋愛関係になるつもりがなかったんです。

恋愛よりも、もっといろんなものを見て経験して、自分の将来のために何かできるのは、新体操との関係が切れた今しかないんじゃないかっていう気持ちが強かったです。だから申しわけなさもあったし、私自身がパートナーを作るっていうことに対して、重く捉《とら》えがちだったので、「やめたほうがいいよ」って答えたんです。

第2章 日本一周カップルYouTuber誕生

定住場所を沖縄に決めた理由は、シンプルに気に入っていたから。リゾバで西表島に2回、宮古島に1回行き、沖縄の風土や綺麗な海、雰囲気が好きになっていた。現実的に移住しようという話になると、離島より便利な沖縄本島にしようということになった。

沖縄本島で僕は保育士の職に就き、みずきはホテルで働き始めた。そこからの2年は普通の沖縄移住者として、貧しいが楽しい同棲生活を送った。

ただ、僕の中にはずっと「旅をしたい」という欲求が燻《くすぶ》っていた。

リゾバで日本各地に行ったり、オーストラリアに住んだり、バリ島で1カ月過ごしたりしたが、まだまだ世界も日本も知らないところだらけだ。いつか絶対に旅に出たい。もちろん、みずきも一緒にだ。

しかし保育士をしている限り、それは難しかった。保育士の仕事は大好きだが、給料は安く、長期休みも取りづらい。

このままではいけないと思い、保育士の仕事をパートにし、時間を作ることにした。みずきには「旅しながら生活がしたい、そのためにどこでもできる仕事を手に入れたい」と伝えたが、まだ結婚どころか婚約もしていなかったので、特に反対もされなかった。

僕がまず始めたのはブログだ。幸い、リゾバ時代にウェブライターをした経験があった。保育士としての知識を活かしながら、子育てのノウハウや本を読んで勉強した知識をブログにしていった。飯《めし》の種だからと、そんなに書きたくない記事とも向き合い、かけた時間に見合う収入が少しずつ得られるようになっていった。

しかし、楽しくはない。これでいいのかな……と少しモヤモヤしながらも、夢のため寝る間を惜しんでブログと向き合っていた。

そんなある日、みずきが「最近 YouTuber ってすごいらしいよ」と話してくれた。

みずきはこの頃よく YouTube を見ていて、お気に入りの YouTuber がいるというのだ。

僕はといえば、ヒカキン（敬称略）というすごい YouTuber がいるらしいくらいしか知らず、その顔すらよくわかっていない。なんとなく YouTuber といえば騒がしい若者が過激なことをやって、それを面白がる若者が見ている、というイメージだった。

２０２１年。僕の認識は圧倒的に遅れていた。

実はブログについて勉強しているときも「これからは動画の時代だ」という話をよく耳にしていた。だが、そもそも写真に写るのすら苦手な僕は、動画などあり得ないと全く頭になかった。しかし、みずきの話がきっかけで、YouTube への興味がムクムクと育ち始める。

百聞は一見に如かず。その頃から YouTube を積極的に見始めた。最初の印象は、タレントというにはあまりにお粗末な素人が何やら騒いでいるなぁ〜だった。

しかし、見ていくうちにいろいろなジャンルがあることを知る。

旅をしながら YouTube をして収入を得ている人もたくさんいる。

慣れてくると、初めは素人臭いと思っていた画面の中の人々に親近感を抱くようになる。テレビ番組よりも短期間で同じ人を何度も見るから、その人が知り合いかのような錯覚を覚える。

なるほど、これが YouTube か。

そして思ったのが、「みずきより面白い人、ひとりもいなくない？」だった。

僕たちの動画を見てくださっている方ならわかると思うが、みずきはかなり個性的だ。「やべぇヤツ」事件のときのように天然で面白いし、機嫌が良ければ人目も憚《はば》からずその辺で歌い出したり踊り出したり……僕は彼女ほど素で面白い人を他に見たことがない。

今となっては画面の中で限られた時間、コンテンツとして面白さを表現できる YouTuber の方々には尊敬しかないが、その頃はシンプルに画面上の人物とみずきを見比べて「みずきのほうが絶対面白いし、かわいい。みずきがやったら楽勝じゃん！」だった。

そこからさらにYouTubeについて調べたところ、ブログ同様に先行者利益が大きそうだった。ネットでは「今更始めても遅い」という意見が大半を占めていた。

大丈夫、僕らならやれる。なぜならみずきは僕の知る中で一番素敵な人間だ。きっと誰もがみずきのファンになる。みずきを知ってもらえさえすればうまくいく。

とはいえ、圧倒的後発組としてYouTubeを始めるには作戦が必要だ。今更メントスコーラをやってもひとりも見てくれず、ネットの海の藻屑《もくず》と化すのは間違いない。

それらをわかった上で僕は、「みずき、YouTubeやろう！」と、ごきげんに言い放った。

みずきはとても驚いていた。

それはそうだろう。ついこの前までヒカキンすらよく知らなかった男が急に「YouTubeやろう」だ。おかしくなったかと思ったかもしれない。

でも僕が落ち着いて「なぜYouTubeか？」「何をやるつもりか？」「どういう作戦で勝ちに行くか？」というプランを話すと、みずきは納得してくれた。

僕たちが旅に出るために、場所を選ばずできる仕事を模索していることはみずきも承知だったので、そのための挑戦としてのYouTubeなのだと理解してくれた。

そんなわけでYouTubeをすることになった僕たちだが、「まずはチャンネル名を決めなければ」となりいろいろな案を出し合った。

カップルの YouTuber でよくあるのは、たとえば僕たちなら「みずこうカップル」とか、お互いの名前を組み合わせたチャンネル名にするという手法だ。うーん……恥ずかしい。

あーでもない、こーでもないと考えた結果、みずきから、住んでいるアパートの名前の一部からもらった「サニーはどう?」とアイディアが出る。「サニーいいね」となり、それに組み合わせられそうな言葉をあれこれ考え、「旅チャンネルにしたいからジャーニーは?」と僕が提案した。『サニージャーニー』誕生である。意味は「陽のあたる旅路」だ。

自分たちのやりたいチャンネルの雰囲気にぴったりだったし、我ながらいい名前だなと満足した。

こうして YouTuber・サニージャーニーは誕生したわけだが、本当に収入になるのかは半信半疑だった。最初はあまりお金をかけずにスマホで撮影し、スマホのアプリで編集。試し試し動画を出していた。

僕は保育士、ブログ。みずきはホテル勤務。YouTube と複数の仕事を並行してやっていたので、ものすごく忙しくなっていく。

ふたりで遊びに行くときはだいたい撮影だし、家での空き時間はほとんど編集や企画などの作業。YouTube に生活が侵食されていく感じもあった。

だが努力の甲斐もあって、5カ月で当時YouTube収益化の最低ラインと言われていた登録者1000人を達成する。

5カ月で収益化と聞くとどうだろうか？　5カ月間ひたすら動画を作り続け、その間1円にもならない。ただただ膨大な作業量をこなしているが、それが果たして仕事になるのかも全くわからない。

それでも、これは僕からすれば早かった。ブログを収益化するまでにはもっと苦労したし、何よりYouTubeはみずきとふたりでできるから楽しいのだ。

実はこの頃、副業としてやっているブログでも月数万円は稼いでいた。もっと注力すれば本業としてブログだけで食べていけたかもしれない。だが、ブログは楽しくないのだ。みずきとふたりで楽しみながらできるYouTubeが、自分には合っていた。

誤解のないよう書いておくと、ここでいう「収益化」とは最低ラインの話だ。YouTubeで登録者1000人達成したからといって、収入は雀《すずめ》の涙で、月数千円といったところ。僕たちの場合、動画を作れば作るほど赤字というのが沖縄時代の実情だ。

YouTubeの登録者1000人など、一視聴者として見れば間違いなく底辺YouTuberだ。しかし、この頃からチラホラと企業さんから「商品を提供するので紹介してもらえませんか？」といったお話が入るようになる。

もちろん最初は報酬をもらえたわけではない。しかし、１０００人でこんなに反応があるとは……「発信は力なのだ」と確信しYouTubeに全力を注いでいった。

手応えを感じてからは、時間だけでなくお金もかけた。

初期投資と考えて最初の1年間で１００万円以上は使った。カメラを買い、ＰＣを買い、空撮用ドローンを買い……次々と機材を揃えていった。

そして僕らは、日本一周へと向かっていく。

ちなみに、日本一周を決めたのはYouTubeを始める少し前だった。ブログで生活していける手応えを感じ、貯蓄も目標金額が貯まり、みずきに「本当に旅に出たい。一緒にいろいろな景色を見に行こう」と話をした。

もともとみずきも日本中を、世界中を見てみたいという気持ちは一緒だったので、反対するということはなかったが、自分はお金がないので行けないと言っていた。

「みずきと2人分と考えてお金を貯めてきたので大丈夫」と話して納得してもらい、日本一周はふたりの共通の目標となっていた。

現在は夫婦になった僕たちだが、僕は2回プロポーズを断られている。

まず1回目のプロポーズは宮古島でのリゾバ時代。２０１７年の秋のことだ。みずきのことが大好きで、一生ふたりで旅していたいと思った僕は、サプライズで婚約指輪を用意する。

たまに喧嘩はすれど仲は良く、何より一緒に日本各地をリゾバで回っているくらいだ。ふたりで人生を共有しているという感覚が僕にはあった。

現地ではなかなか良い感じの婚約指輪は買えなそうだったので、地元の友達に協力してもらい、当時の僕としてはかなりの金額の指輪を購入した。


僕の誕生日の夜、みずきが良いお店を予約してくれてふたりでおいしいディナーを食べた。その帰り道、とても星が綺麗な夜だったので「西表のときみたいに星を見に行こう」と公園に寄り道し、告白したときと同じような満天の星の下でプロポーズした。

みずきはとても驚いていたが指輪を受け取り、プロポーズを受け入れてくれた。

しかし次の日、「やっぱり結婚はできない」と告げられる……。

「こうへいくんのことは大好き。できるならずっと一緒にいたい。でも、自分が誰かと結婚するということが想像できない。きっと、こうへいくんを幸せにすることができない」

と、みずきは泣きながら説明した。

初めは全く納得できず「一緒にいたいなら結婚することに何の問題があるの？」と、問い詰めた。

しかし、泣きながら話す彼女を見るうち、その透き通った心の、光の届かない奥の部分を見た気がした。

僕も冷静になり、みずきの考えを受け入れた。

僕はみずきを好きで、みずきは僕が好き。一緒にいられればそれで幸せなはずだ。結婚など法律上の手続きでしかない。

それ以来、僕は結婚の話はやめた。将来の話もしなくなった。ただ、今をふたりで生きている、それだけで幸せだった。

それから月日は流れ、沖縄本島に定住して少し経った2020年頃だっただろうか。リゾバ時代と違ってアパートを借り、ふたりとも定職に就き、〝ふたりで生活している〟という実感があり、僕は思った。

「もしかしたらみずきの気持ちも変わっているかも……」

ある日の夜、寝る前に「そろそろ結婚する?」と聞いてみた。2回目のプロポーズだ。

すると、それまで楽しそうにしていたみずきの顔が曇り、やはりみずきは泣いてしまった。まだみずきの中で将来は見えていなかった。

2度も断られたら普通は諦めるだろう。でも僕は普通じゃないのかもしれない。

YouTubeを始めて数カ月が経った6月。みずきの誕生日に僕は3回目のプロポーズをした。我ながらメンタルが強い。

ここ数カ月、特に日本一周の旅へ出るのを決めてから、ふたりで過ごす未来をお互い思い描いているような気がしていた。なぜなのかわからないが、絶対に成功するはずだという謎の自信があった。

指輪は前回買ってしまったので、プロポーズ用にプリザーブドローズという美しく保存加工された薔薇《ばら》を買って、みずきの誕生日を待った。

当日の夜、プレゼントを渡し、ご飯を食べ、ケーキも食べ、楽しい時間を過ごした。

そして薔薇を渡して3度目のプロポーズをした。

「みずきと一緒に世界中の綺麗な景色を見て回りたい。結婚しよう」

3度目のプロポーズのセリフはそんな感じだった。

みずきはまたもや泣いてしまった。しかし、今度は嬉し涙だった。

ついにOKしてくれた。

人生で嬉しい日というのは数えきれないほどあるが、その中でもかなり上位の日かもしれない。

この先も、どちらかの寿命が尽きるまではずっと一緒に生きていこう。

僕にとってはとても大事な、そして嬉しい約束をした。

このときはこんなにも早く、寿命が尽きる日を意識することになるとは思ってもいなかったけど……。

婚約してから、日本一周の準備は加速していった。

その頃、コロナ禍のキャンプブームからか、「車中泊」というスタイルが流行り始めていた。車中泊をベースとしながらある程度の期間生活していく〝バンライフ〟だ。

その頃すでに、車中泊しながら日本一周をし、かなりの登録者数、再生回数を獲得しているチャンネルがいくつもあった。車で寝泊まりすればかなりの節約になるし、何より YouTube のコンテンツとして面白い。このスタイルで行こう。

では日本一周バンライフには何が必要か？　答えは寝泊まりできる車とまとまったお金だ。

その2つを確保するために奔走するわけだが、最優先事項はお金だった。

当時登録者数1000人そこそこの YouTube では月の収入は数千円。毎日もやし生活でも全然足りない。そこで、スポンサーを探すことにした。

僕は運動も勉強も普通だし、みずきのように面白いわけでもないが、唯一、人より優れている（?）ところがある。図々しさだ。

実は YouTube で登録者数1000人までたどり着くのは10人に1人くらいだと言われていて、そこそこすごいことだと思う。でも、数万、数十万、数百万人の登録者数を誇る YouTuber がゴロゴロいるのだから、1000人なんて弱小 YouTuber である。「そんな私がお金を出していただいて動画を撮るなんてとてもとても……」というのが普通の1000人規模の YouTuber の感覚だ。

だが僕は、「ブームの車中泊で1年かけて日本一周をします。その旅のスポンサーになってください。今は小さなチャンネルですが、ブームに乗って確実に大きくなります。今買っておくべき物件ですよ社長さん！」と言って回ってスポンサーを探した。

我ながら詐欺師みたいだ。

ちなみに僕の知る限り、当時スポンサーを取って日本一周しているバンライファーはいなかった。僕としてはなぜやらないのか不思議で仕方がなかった。

僕は、バンにロゴステッカーを貼ってくれる小口のスポンサーを複数集めることにした。大きな企業の広告・宣伝予算というのはとんでもない金額で、その金額からしたら1口数万円くらいなら「試しに……」と乗ってくれる企業が見つかるかもしれない。

兎《と》にも角《かく》にもやり方を決めたら実践あるのみ、世の中には企業なんて星の数ほどあるのだから。

僕はすぐに企画書を作り、いろいろな企業さんに営業をかけた。

その中で運やご縁もあり、『AGAスキンクリニック』さんの広報の方とオンラインでお話する機会をいただけることになった。

当時はわからなかったが、そのときのミーティングには決定権のあるかなり偉い方が出席されていて、僕の拙《つたな》いプレゼンを聞いて、「いけそうだなと思っています、むしろもっと大きく関わりたい」と言ってくださった。

数社を合算してこのくらい欲しいと思っていた金額を、1社1年契約で提示してくださったのだ。月数千円だけだったYouTubeという存在が、一気に旅生活の柱に化けた瞬間だった。

とはいえ1社頼みになるのは危険なので、その後も営業を続けた結果、旅中に可能なお仕事を何件かいただけることになった。


さて、次に緊急性が高いのは車だった。バンライフをやると言っているのに、その車がないのでは話にならない。

これもいろいろな巡り合わせや持ち前の図々しさから、車を1台提供してくださるという企業さんと出会えた。しかしここは自分たちの理想があって、軽キャンピングカーの「カノア」をフルローンで購入することに決めた。

少し小さいサイズのかわいいキャンピングカーで、マシュマロのようなボディなので「マシューちゃん」。ここから長い旅を共にする相棒兼我が家だ。

オプションも含めると価格は500万円以上。キャンピングカーとしては安いが、普通に高級車だ。ローンの契約を結んだときは正直震えた。


仕事も移動する家も決まり、日本一周旅がいよいよ現実味を帯びてきた。

だが、まだ一抹の不安が残る。

マシューちゃんの納車動画（納車動画は再生回数がとても伸びやすい）で爆発的に伸びると

踏んでいたが、もしそこでこけて、ＡＧＡスキンクリニックに見放されてしまったら……。

　そんなとき、YouTube活動の中で知り合った知人から、

「個人事業主として開業する場合、融資を受ける方法があるよ」という話を聞いた。

　僕はほぼ保育士しかやったことがないため、ビジネスはずぶの初心者だ。融資など頭にもなく、まず自分が受けられるとは思ってもみなかった。

　だが、もし手元に資金があれば生活自体が破綻する可能性はさらに低くなる。早速ビジネスに詳しい友人に話を聞き、自分でも勉強し、融資を受ける手続きを進めていった。

　ここでいう融資とは要するに借金だが、消費者金融や車のローンとは違い事業者向けの開業融資なので金利も低い。だからこそ事業計画がしっかりしていて、計画的に返済できる見込みのある人しか融資は受けられない。甘い計画では門前払いになる。

　果たして、登録者１０００人のYouTuberに融資をしてくれる銀行があるのだろうか？

　しかし、あったのだ。

　諸事情で詳細は伏せるが、開業時の運転資金としては十分な額の融資を受けることに成功。当時の柔軟で優秀な銀行の融資担当さんには頭が上がらない。

　仕事も、融資も、車（兼家）も決まり、日本一周までもう少しだ。

　まずマシューちゃんが納車される。車を架装してくれたビルダーさんは東京の方なので、マシューちゃんは船ではるばる沖縄までやってきた。

納車の日はみずきは仕事だったので、僕ひとりで港まで受け取りに行った。港の広大な駐車場にはカーフェリーで運ばれてきた大量の車が並んでいた。

その中で一際《ひときわ》目立つマシュマロボディーが、沖縄の日差しを受けて輝いていた。この車でこれから日本一周するのかと思うと、ワクワクが抑えきれないほど膨らんでいた。

港の係のおじさんたちも、「すごいねぇ、中見ていい？」「いくらなの？」と興味津々だった。

マシューちゃんはいわゆる軽キャンピングカーだ。

軽トラをベースに、その荷台部分に居住用の部屋を作った感じ。

居住スペースはダブルベッドくらいの広さで、普段はソファとテーブルになっていて、寝るときにはベッドモードに展開できる。ソファの下は収納になっている。トイレやお風呂はないが、簡単な流し台と水道はついている。

キャンピングカーとしてはかなりコンパクトだが、普通の車では絶対に不可能な快適な居住性を実現しているのだ。文章では伝わりづらいので、興味がある方は動画を見てほしい。

広すぎる軽キャン！
新型「カノア」納車!!
【日本一周旅の
キャンピングカー
納車しました】

ふたりで住んでいたアパートを解約し、初めての車中泊は、出発港のそばの道の駅。旅の始まりを感じてワクワクした。

しかし、実際には怖さもあった。その晩もYouTubeの編集などをして、眠る準備を終えたのはかなり遅い時間だった。歯を磨き、ふたりでトイレに行き、さあ寝るぞと布団に入る。

目を閉じて静かにしていると、思った以上に外の音が聞こえる。

マシューちゃんは居住部分の壁に断熱材が入っているので、普通の車よりは外の音はかなり聞こえづらい。それでも、夜の静けさに耳を澄ますと、国道を走るトラックの音、遠くから聞こえるバイクの排気音などが室内に届く。

「外で寝ている」感があるのだ。

自宅とはなんと安心できる場所だろうと、離れてみてわかった。家の扉には鍵がかかっていて、外の世界と室内は別世界のように隔絶されている。

もちろんキャンピングカーでも車内と車外は隔絶されていて、鍵もかけられる。当然外からは全く見えない。しかし、空間の広さなのか、壁の厚さなのか「家」と「車」では安心感が全く違う。

「もう家がないのだ」とはっきりと感じた夜だった。

朝目覚めると日はすでに昇っていて、太陽に照らされた道の駅は、昨晩不安を感じた場所とはまるで違って見えた。

「ここがスタート」

4月上旬の温かい日差しの中で期待だけがむくむくと膨らみ、陽光を反射する海は旅の始まりを祝福してくれた。

みずきさんから見てどうでした？

この人「愛」という蛇口が閉められないんじゃないか？

こうちゃんの気持ちを受け入れた後も、やっぱり幸せにしてあげる自信はずっとなくて、まだふわふわして気持ちは落ち着いてなかったと思います。

沖縄で暮らし始めた頃にちょうどコロナ禍になって、こうちゃんとふたりだけでいる時間がすごく長くなって、その中でずっと変わらず……この人「愛」という蛇口が閉められないんじゃないか？　って思うくらいに気持ちを伝え続けてくれて（笑）。

親にも言ったことないような不安な気持ちを口にしても、全部受け止めて「大丈夫だよ」「それでいいんだよ」って認めてくれて。そういう期間を過ごしたことで、こうちゃんの存在が自分の心の安定剤になっていったんです。こうちゃんに愛してもらっていることで、自分がよりハッピーでいられる、自分に自信が持てる、そういう気持ちが強くなっていきました。

腕枕してもらったりハグしてもらってるときに、ここが帰る場所だって思えたので「私、ここで死ぬね」って言ってたんですよ。半分ふざけて、でも半分真面目に。

こうちゃんも「そうだね。ここで死ぬんだよ。でも先に死んじゃだめだよ」って。そういう会話が何回かあって、私にとってはこうちゃんが絶対的な最後の場所になっていました。でもそれは私にとって「結婚」とイコールではなかったんですね。

あまり結婚に重きを置いていなくて、一緒にいられるだけで十分だったんです。でもこうちゃんが結婚っていう形を望むのなら、そうしたほうがこうちゃんは幸せなのかなって思えるようになって、ようやくプロポーズをお受けしました。

写真すら嫌いなこうちゃんから飛び出した思わぬ提案

美容系のYouTubeをよく見てはいたんですけど、ある日こうちゃんが、「いいこと考えたよ、みずき！　YouTubeやろう！」って言ってきて。驚いて思わず「YouTube見たことあるの!?」って聞いたら、「あ

るよ。エド・シーランとか」って（笑）。そういう音楽のPVとかしか見てなかったのに。

こうちゃんは留学してたときの連絡手段でFacebookをやってたくらいでそもそもSNS嫌いだし、なんなら写真に写るのも嫌いで、リゾバの友達との写真はいっぱいあるのに、こうちゃんと一緒に写った写真は全っ然なくて、「……いたんだっけ?」みたいな（笑）。だから「YouTubeって……大丈夫?」って感じだったけど、こうちゃん的には、場所に関係なくできることを、って考えてくれていたので。私自身も、楽しそうっていう気持ちはありました。

こうちゃんは普段の生活の中ではボケたりするのに、カメラの前では見せないので、「もっとやってよー!」って思ったり。でもこうちゃんは「俺がボケても寒いだけだ!」って言って。そういう戦いもありました（笑）。

第3章 すい臓がん

みずきの最初の異変は旅もまだまだ序盤の頃だった。

宮崎県に入った頃、時期で言えば出発から1カ月経ったくらい。

お腹が痛い、とみずきが言った。「病院行こうか？」と聞くが、「すぐ治ると思うから大丈夫」と、病院に行くのを拒んだ。

基本、みずきは病院があまり好きではなく、多少の体調不良は寝て治すことが多い。

僕も「さすがに旅の疲れが出たかな」とそんなに深刻に捉えていなかったように思う。〝思う〟と書いたのは、正直この当時のことをほとんど覚えてないからだ。当時の様子は特に記録も取っておらず、この原稿もGoogleマップの履歴を見て思い出しながら書いている。

今これを読んでいるあなたは、1年前の〝仕事を休むほどではない体調不良〟を覚えているだろうか？　ほとんどの人は、正確な日時も症状も忘れてしまっていると思う。

そのくらいの小さな違和感だったのだ。しかし、その違和感が思いのほか長引いた。

動けるし、元気に撮影はできるけど、〝いつもより少し体調が悪い〟という日が増えていき、不安になった僕は「病院で診てもらおう」と何度も提案した。

「病院代もったいないし、いいよ」と、みずきは頑《かたく》なだった。

確かに、鹿児島の離島で思った以上に費用がかかってしまい、お金がなかった。だからみずきの意見もよくわかったし、僕が逆の立場でもそう言っただろう。

仮に当時の状態で検査をしても、すい臓がんが見つかる可能性は極めて低かった。だけど僕は今でも夜寝る前に後悔する。このときを思い出すと、暗い海の底に沈んで行く気分になる。

少しでも可能性があるときになぜ病院へ行かなかったのか？

「もし」「なぜ」「しておけば」

後悔は心を蝕《むしば》む。

「大事な人を守れたのは自分しかいなかった」

にもかかわらず、目の前の膨大な仕事、この先の生計の見通し、さまざまな雑事に追われてきちんと向き合わなかった。誰に何百回「あなたは悪くない」と言われても、僕の心の一部は深く沈んだまま浮き上がってはこない。

幸いみずきは今も元気に生きている。隣でいつも笑顔を見せてくれる。

それでもきっと後悔はなくならない。
だから、もしあなたの大切な人が体調不良を訴えたら、
「私のために、私が安心するために病院へ行こう」
と伝えてほしい。あなた自身のために。

そのまま1～2週間が過ぎ、大分に入ったところでようやく病院へ行くことにした。このときもかなり説得して、「俺が安心したいから一度しっかり診てもらおう」とお願いしての通院となった。「俺のため」という言葉でやっと、みずきも了承してくれた。

最初に診察を受けたのは大きめの個人医院といった感じのところだった。入院設備もあるし、ベッドも20床ほどあり、その地域ではそこそこ大きいところだ。診療を受け、血液検査をし、胃カメラもしようという話になった。

だが、その病院では胃カメラは口から入れることしかできず、鼻から胃カメラを入れることができる別の病院を紹介してもらった。

翌日、紹介された病院で診察を受ける。みずきの人生初の胃カメラの結果、特に異常は見つからなかった。問題はないと思うが、もっと大きな病院でCTを撮ってもらってはどうかと、また違う病院を紹介される。

翌日、大分の中では比較的大きい病院で受診した。いわゆる総合病院というところだ。

ＣＴ検査を受けた結果、「原因ははっきりしないが、アミラーゼの値が高い。しかし、女性は突発的にすい炎などになることがある。大きな病気の可能性はまずないので安心していい」とのことだった。

「この後も体調不良が続くようなら、次の病院で受診するときのために」と検査データをまとめた宛名なしの紹介状を書いてくださった。

総合病院に行った日に撮っている動画があったのでＱＲコードを張っておく。

【家なしカップル】
湯布院RVパークに泊まり
大分グルメを
食べ歩きまくる旅
【日本一周大分編】

もちろん撮影時だから演出的に元気に振る舞いはするが、このときの動画を見返してもそんなに無理をしていた印象はない。湯布院の観光地でご当地グルメをたくさん食べ、宿泊地のＲ

Vパークから15分ほど歩いて温泉にも行っている。

薬をもらい安心したおかげなのか、結構元気になっていたのだ。

この後は日によって元気だったり、体調が良くなかったりを繰り返していたが、病院の先生に言われた「そういうこともある」に納得して、騙し騙し旅を続けていた。

今思えばこのときすでに、がんは静かに、だが確実にみずきの中で進行していたのだ。

一応、大分の病院の名誉のために補足しておくが、後にがんの診断をしてくれた病院の先生も「その時点で見つけるのは自分でも無理だっただろう」とおっしゃっていた。

それくらいすい臓がんは本当に見つけにくく、水面化で進行していくがんだ。


それからひと月くらいが経ち、僕たちは熊本にいた。大分でもらった薬を飲み切ってしまったのと、まだ体調がスッキリしないので、再び受診することにした。

だが、前回「大きな病気の可能性はない」と言われ、検査も当時の状況で考えられるものはやり尽くしていたこともあり、「薬だけもらえれば大丈夫」というみずきの判断で、小さな個人医院で受診した。

こちらの病院では、逆流性食道炎《ぎゃくりゅうせいしょくどうえん》かもしれないとの話だった。

「車中泊のストレスや、姿勢が同じ状態でい続けることなどが原因で、逆流性食道炎になることは考えられる。よく歩くように意識してください」と言われた。

今まで「原因はわからない」となっていたところが、わかりやすい病名がついた。ネットで調べてみると確かにみずきの症状に当てはまる。また、長引く病気でもあるようだ。いろいろ合点がいき、じゃあゆっくり治していくしかないねと妙に納得してしまった。

このとき、病院で緑色のドロドロの液体の薬を処方される。胃の粘膜を保護するために食前に飲む薬だ。

おいしくはなく、ねばねばした感触が喉に残るらしいのだが、みずきはそれを北海道弁で「ねっぱる薬」と表現して毎日飲んでいた。

この薬を食前に飲むようになってからみずきの調子は良くなった。後にがんが発覚するまで、このねっぱる薬に頼り続けた。ご飯前には「今日ねっぱった？」と確認し合い、飲み忘れないようにするほど、ふたりともこの薬が効いていると信じきっていた。

すい臓がんとわかってからは「この薬は全然意味ないよ」と言われるのだが……。

みずきの体調は、熊本での受診以降少しずつ良くなっていった。日によって体調が優れない日があったり、食べる量が以前より減ったりという変化はあったが「逆流性食道炎だからゆっくり治していこう」とゆったりした生活を心がけるようになっていった。

それまで、ほぼ毎日のように夜遅くまで編集等の作業をふたりでしていたが、体調不良になったことで「無理させてしまった」と深く反省し、みずきの稼働時間は日中のみとした。

日中撮影したり編集したりして過ごし、夕ご飯を食べた後はみずきは好きなことをして過ごしていい時間にした。週に2日は編集日としてゆっくり作業ができる日も作った。体調の悪い日は撮影もせず、ともかく無理させないようにと意識するようになった。

みずきができないぶんは、僕がやればいいのだ。

僕たちは熊本の南阿蘇がとても気に入った。

与論でお世話になったSさんという方からの繋がりで、南阿蘇の地域おこし協力隊の市村《いちむら》さんを紹介してもらった。

市村さんは熊本地震を機に、それまで勤めていた大手食品加工メーカーを退社。自分が大学時代を過ごした思い出の地・南阿蘇の復興を手伝いたいと、地域おこし協力隊に参加した異色の人物だ。

この経歴を聞くと心優しい青年がイメージされるかもしれないが見た目はかなりイカつい。背も高く、スキンヘッドで眼光鋭く一瞬「反社の人では？」と疑ってしまうほどの迫力がある。

そんな市村さんを通して南阿蘇のさまざまな人と出会った。

アスパラガスの収穫をお手伝いしたり、草千里の美しい風景の中で乗馬体験をしたり、熊本地震の復興の軌跡を学んだりもした。

有機栽培の田んぼの草取りをした朝は忘れられない。

人々が起き出す前のしんとした空気、ひんやりと心地よく素足を包む田んぼの泥の感触、朝日に照らされて輝く阿蘇山。

すっかり南阿蘇のファンになった僕たちは、みずきの療養も兼ねて10日間ほど滞在した。

その間にみずきは32歳の誕生日を迎えた。

「今年の誕生日は何が欲しい？」と尋ねると、「道の駅で好きなだけ買い物できる権（利）」だった。

みずきは道の駅が大好きだ。地域のお土産や特産品を見るのが本当に好きで、各地の特色が活かされている商品を見て、「これはおいしそう」「こんなのよく思いつくね」「これめっちゃかわいい」などひとつひとつ感想を言っては楽しそうにする。

ただ、日本一周旅では節約が必須だ。特にこの頃、僕は節約の鬼になっていた。

旅の目的のひとつ、ご当地飯にはもちろんお金を使う。動画のコンテンツにもなり得る観光アクティビティなども仕方ない。しかし「道の駅でお土産を買う」は節約のしどころだ。

そんな背景もあって、道の駅で好きなだけ買い物できるのはみずきにとっては夢の権利だ。

権利が行使されたのは大好きな南阿蘇の道の駅「あそ望《ぼう》の郷《さと》くぎの」でだった。

牛乳瓶に入った牛の形のクッキー、ハーブティー、チーズ、リンゴジャム、搾《しぼ》りたての牛乳、阿蘇名産のあか牛のハムなど、みずきはものすごく嬉しそうに道の駅の中を見て回った。

その後ふたりでお祝いのランチを食べた。

あか牛のステーキはとてもやわらかくておいしかった。申しわけなさそうにしつつも嬉しそうに微笑むみずきの顔を見て、僕の心は温かくなった。

貧乏旅だったが、僕たちはふたり一緒に生きていて、幸せだった。


旅は熊本から長崎へと続いた。

熊本港から長崎の島原へと船で渡る。

みずきの体調は大きく崩れもせず、無理なく旅をしていた。ねっぱる薬がなくなると最寄りの病院を受診し、事情を話して薬を処方してもらいながら。

今思えば、この間にどんどんすい臓がんは進行していたはずだ。この病気の恐ろしいところは、「そんなに悪い病状ではないですよ」という顔で潜伏し、普通に日常を過ごせてしまうところだ。

みずきも僕も、体調が悪くなる日があるのに慣れてしまい、「逆流性食道炎って大変だ」と思いながら旅を続けていた。

旅の途中何度か「ちょっと長引きすぎじゃない？　もう一度診てもらおう」と提案したが、「あれだけ検査したんだから大丈夫。大きな病気じゃないよ」とみずきに言われ、納得するしかなかった。

7月頃、中国地方を進む頃は、比較的体調が良かった。

調子が良い日はよく食べ、鳥取の三朝《みささ》では、断崖絶壁のくぼみに建造された木製のお堂で、日本一危険な国宝とも言われる投入堂《なげいれどう》にも行けるほどだった（往復2時間ほどの登山になった）。

薬を飲まない日も増え、一時期は薬が切れても「もう大丈夫」と通院せず過ごしていた。

しかし、8月終わりに関西へ入った頃から再び体調は崩れ始める。病院に立ち寄り、ねっぱる薬をもらい、旅を続けていたが、日に日に体調が悪い日が増えていった。

そして10月、高知県に入る。

高知は僕が日本一周の中でトップクラスに楽しみにしていた場所だ。日本のサーファーの中では高知といえば憧れの地。一度は行ってみたいサーフィンの聖地なのだ。

サーフィンでいい波を当てようと思うと1週間の滞在では短い。だから高知には最低でも2週間は滞在させてほしいとみずきにお願いしていた。

ここまで僕が働き詰めだったこともあり、みずきは「たくさんサーフィンしていいよ」と好きなように過ごさせてくれた。関連の動画を何本か撮ると、その後は常に海辺にいて、時間と体力が許す限り海に入った。

みずきも体調が良い日においしいものを食べたり、大好きな坂本龍馬の史跡を巡ったりした。

ただ、このあたりからみずきの体調が一気に悪くなっていく。

何度も病院に行こうと提案したが、みずきは承諾しない。理由のひとつとして、いったん沖縄へ行く予定があったからだ。動画を撮ってほしいと仕事の依頼を受けていたのだ。かなり前から約束していたお仕事だったし、当時の僕たちには結構大きい収入だったこともあり、「病院に行くのは沖縄の仕事が終わってから」と言い張る。

逆流性食道炎と信じていたことが災いしていた。治りづらい病気だと感じていたし、逆に高知でゆっくり過ごせば病状は回復するかもしれないと期待していた。

この機にみずきにはできる限りのんびり過ごしてもらって、回復してから旅を続けようと考えたのだ。

後悔は消せない。

「あんなに体調が悪そうだったのに」

「あのときならまだ転移していなかったかも」

一度考え始めると後悔は黒い霧のように胸の中を満たし、呼吸を妨げる。何度も、何度も断片的に高知にいた頃を思い出す。

なかなかいい波に当たらなくて若干イライラしている僕、1日中寝て過ごすみずき。

良い波に当たってものすごくご機嫌な僕、ご飯をほとんど食べられないみずき。

病院に行こうと提案する僕、大丈夫だからと笑顔を見せるみずき、納得してしまう僕。

もし過去に声を届けられるのなら、どの僕にも声が枯れるまで叫びたい。

「みずきはすい臓がんだ。病院へ行け。今すぐに行け」

しかし、そんなことはできるはずもなく、思い出だけが鮮やかな色彩で強く輝く。旅の思い出がきらきらと強い光を放つほど、後悔は暗く心の中に影を落とす。

高知に入って1週間、僕たちは約束通り沖縄へ行った。

一度愛媛へ車で向かい、そこから飛行機で那覇空港へ。

フライト当日の夜に先方に挨拶し、次の日の早朝、撮影現場の海へと向かった。

今回の仕事は「海でとあるアクティビテイを体験してほしい」との依頼だった。

初心者である僕たちがそのアクティビティを楽しむ様子を動画にし、沖縄観光を考えている人の選択肢に加えてもらいたいという趣旨だった。

この日台風の影響で海が荒れていたので、いったん撮影は延期となり、次の日再び海へ。

天気は快晴、アクティビティも想像していた以上に楽しく、みずきもこの日はかなり元気だった。

晴れ渡る空、沖縄の真っ青な海。どこまでも続く水平線。仕事ではあるものの「楽しい」しか感じないほど完璧な1日だった。

みずきの体調も、愛媛出発前は撮影できるか心配していたほどだったが、当時の動画を見返しても、この数日後に黄疸《おうだん》が出るほど進行したすいがん患者だとは思えない。

すい臓がんは怖い。

「体調が優れない」くらいの状態がずっと続き、気づいたときにはどうしようもないほど手遅れになる。

沖縄での撮影を終えるとふたたび高知に戻った。まだ数週間高知で過ごす予定だった。

みずきの体調が心配で、高知に戻った翌日に病院へ行った。このときもみずきは病院を渋ったが、「俺の安心のため、とりあえずできる検査は全部してほしい」と話すと、わかってくれた。

病院へ電話し事情を説明すると、まず駐車場で新型コロナの検査を受けてほしいと言われた。少しお腹が緩くなっていたみずきは、新型コロナの疑いがありと判断されてしまったのだ。

病院の駐車場へ着き、唾液でPCR検査を受ける。結果が出るまでの間、みずきはマシューの居住部分で横になっていた。この頃はいつでもみずきが休めるように布団は敷きっぱなしだった。

結果は陰性。それでも病院内には入れず、駐車場にドクターを含む何人かのスタッフが来た。

これまでの経緯を話すと「CTまで撮っているならうちで検査しても結果は変わらない」とのことだった。より精密な検査を求めるなら、もっと都市部の大きな病院へ行く必要があると。

とりあえず病院の敷地を出ようとした瞬間、「あー、待って待って待って……やばいやばいやばい」とみずきが布団に倒れ込んだ。

驚いてどうしたのか尋ねても、「待ってぐるぐるする……」と顔も起こせない。

少し落ち着いてから話を聞くと急激な目まいで世界が回転し、体を起こしていられなくなったという。

後日聞いた話では、急に車が横転してしまったような感覚だったらしい。そのくらい激しい目まいだった。

駐車場から病院に電話をかけ経緯を説明する。午後なので救急対応になってしまうと言われたが、それでも構わないからと懇願し、病院内まで車椅子で運んでもらう。

診てもらった結果、良性発作性頭位《りょうせいほっさせいとうい》めまい症ではないかとの診断だった。

つまり、これまでの体調不良とは全く別の問題だというのだ。

この病気自体はよくあるもので、内耳の耳石《じせき》が剥がれてコロコロと移動してしまうことで平衡感覚が保てなくなる。「良性」とつくだけあって、しばらく安静にしていれば勝手に治る。

目まいの治まる薬を点滴し、「しばらく安静に」と言われて病院を出た。

この目まいががんと関係があったのかは今でもわからない。

がんを発見してくれた先生にも聞いてみたが、「それは関係ないのではないか」とのことだった。だが、YouTube についたコメントで、同じくすい臓がんで自分も目まいの症状があったという方もいた。

何はともあれ「安静に」と言われたので数日移動せずゆっくり過ごさせた。

みずきだけホテルに泊まるよう提案したが、「もったいないから大丈夫。寝てれば一緒」と断られた。

しばらく高知で安静にし、愛媛に移動してから大きな病院で精密検査をしてもらおうという話になり、それから3日間はのんびりと海辺で過ごした。

僕はサーフィンしたり仕事をしたりして、みずきは車で寝ていた。

そんな風に過ごすうち、目まいの症状は治まった。しかし、数日後の金曜日、みずきが申しわけなさげに「やっぱり早く病院に行きたい」と言い出した。

今まで僕が何度説得しても拒んできたのに、自分から言い出すなんて。

どうしたのか尋ねると、「白目が黄色くなってきた」と不安そうに話し始める。

「ここ数日、目や肌が黄色い気がして。〝目が黄色い　すい臓〟で調べてみたんだけど、すい臓がんって記事ばかりヒットしちゃって。ちょっと不安だから早めに病院行きたいかも」

大分の病院で、問題はないだろうがすい臓から分泌されるアミラーゼ値がやや高いと言われたのが気になっていたようだ。不安を誤魔化すためか、微笑みながら話すみずきの目は、確かに黄色い。

みずきが見せてくれたスマホの画面は黄疸の症状写真で溢れている。それらに比べればみずきの目は「そう言われれば黄色い……」くらいだったが、確かにこれは不安だ。

がん?

いきなりの展開で頭がうまく回らない。

大きな病気ではないという話ではなかったのか?

こんなところで海に入っている場合ではなかった。

「すぐ愛媛に移動しよう。松山に行けば大きな病院がある。そこで造影剤のCTを含めあらゆる検査をしてもらおう」。そう言ってから今日が金曜日だったのを思い出す。

今から愛媛に行っても診療時間に間に合わない。話し合った結果、慌てて移動するより土日をかけてゆっくり移動することにした。

日曜日、柏島《かしわじま》へ行く。ここは高知でのみずきの大きな目的地のひとつだ。

「愛媛に行く前に寄っておきたいよね」と車を走らせた。

柏島は高知の西南に位置する、車で行ける小さな島だ。

沖縄と見紛うばかりの美しい海。柏島ビーチには、沖縄や、南の海を見慣れた僕たちからしても美しい、エメラルドグリーンの海が広がっていた。

島自体もこぢんまりとしていて、いい雰囲気だ。

ランチで「喫茶みっちゃん」という店に入り、親しくなった店主のみっちゃんが、「港に行ったらイルカが見られるよ」と教えてくれた。

イルカの親子が棲みついているそうで、行けばほぼ確実に見られるらしい。

みっちゃんに詳しく場所を聞いて港に行き、水面をボーッと眺めていると、確かにイルカの親子が息継ぎするときに水面に現れ、スーッと泳いでいった。

イルカの親子を眺めながら、僕たちはとても穏やかな時間を過ごした。

翌日、愛媛の大きな病院で精密検査を受けた。

朝9時に病院へ入る。検査内容は採血・採尿・腹部エコーとCT検査だった。

今回は黄疸が出ているということで、すい臓がんを疑っての検査だったと思う。前回大分での検査時と大きく違うのは、造影剤を使用してのCT検査だったことだ。

実は前回のCT検査のときも、「よりしっかり検査するなら造影剤を入れたほうがはっきり写りますがどうしますか？」と聞かれていた。僕は検査に立ち会っていなかったが、みずきは自分の判断で「造影剤はいらないです」と答えた。

造影剤を入れると5000円ほど検査料金が嵩《かさ》む。すでに検査で数万円使っているので、必要がなければ入れないでいいと判断したらしい。

もしも大分で造影剤を使っていれば……僕に相談してくれれば……考えても仕方のないことがぐるぐると頭の中を巡ってしまうが、後悔しても時間は巻き戻らない。

造影剤を入れての検査の結果が出たのは夕方になってからだった。診察をしてくれた先生は若くて優しそうな先生だった。

先生は「CT画像を見た結果、すい臓がんの疑いがある」と言った。

あまりの衝撃に言葉が出なかった。しかし、先生はこうも続けた。

「もしこれで年齢が60歳とかであれば強くすい臓がんを疑います。何も言わずにCTの画像だけ見た医師はそう判断する人が多いでしょう。しかし、年齢があまりに若すぎる。年齢を考えると他の病気の可能性もあるでしょう」

もしみずきがすい臓がんだった場合、この病院での最少年齢を更新するとの話だった。

僕はその可能性にすがった。みずきががんのはずはない。まだこれから日本をあと半周して、結婚して、楽しい未来が待っているはずなのだから。

先生の話によれば、生体検査（病変部位の細胞を切り取って実際に見てみる）をしてみなければはっきりとした診断はつかないそうだ。

また、黄疸が出ているのでその処置をできる限り早めにしなければならない。

ただ、先生は「どこで治療を受けるのかよく考えたほうがいい」とも言う。

このまま愛媛で治療を続けるのか、それとも地元に帰って治療するのか。

がんだとすれば当然かなりの期間の闘病になる。

がんでなかったとしても長い療養期間が必要。

もし治療を地元でするなら、黄疸は処置せずにすぐ帰ることを勧める。

ここで黄疸の処置だけしてしまうこともできるが、すい臓がんの疑いがある以上、自分が主治医だったら初めから診たい。処置せずに送ってくれたらよかったのにと思うはず。

先生の説明を食い入るように聞いた。

迷いはなかった。

みずきががんのはずはないが、何か大きな病気のようだ。

それならば旅などしてる場合ではないし、みずきの家族や友達がお見舞いに来やすい北海道で治療しよう。札幌へ帰ろう。みずきにそう話した。

その後、仕事関係の取引先へ連絡した。

約束していたスケジュールで動画投稿ができないことを謝罪した。取引先はどこも「まず治療に専念して。こちらのことは気にしないで」と言ってくれ、その優しさに涙が流れた。

札幌の病院への紹介状は翌日にならなければ受け取れないとのことで、明日また来院する予約を取って病院を出た。

手を繋ぎ駐車場に停めたマシューのところへ歩く途中、金木犀《きんもくせい》がふわりと香った。

秋が来たことを知り、旅の終わりを感じた。

みずきが僕の手を握る力は弱く、僕はぎゅっと握り返した。

次の日、病院で紹介状を受け取って、愛媛を発った。

愛媛から関西空港まで走れば圧倒的に航空券が安い。しかし、みずきに無理させたくないので愛媛から飛ぶことを勧めた。

だがみずきは「関空までマシューちゃんで行く」と言った。

「今更車での移動は平気だし、『道の駅くるくるなると』へ行きたい」

道の駅くるくるなるというのは徳島県の道の駅だ。僕たちは徳島から四国入りしているのだが、まず高知から回って四国を一周し、最後に徳島を観光しようと決めていた。みずきはそこへ行くのを、ものすごく楽しみにしていたのだ。

徳島県といえば鳴門金時。

四国に入って徳島を通過した時も「鳴門金時」という文字を見つけるたびに「あぁ～鳴門金時～」と切なげに呟き、「今度来たときにね」と僕に諭されていた。

みずきはさつまいもが大好きなのだ。

「鳴門金時の聖地、道の駅くるくるなるとへ寄らずに旅を中断するなんて無理」

ここ数日でみるみる体調が悪くなっていて、黄疸が出ていて、「がんの可能性が十分ある」と言われているのに鳴門金時……。さすがみずきだ。

正直、次いつ来られるのか、本当に来られるのか……という気持ちは、口には出さずともふたりの中にあった。話し合い、1日かけて徳島まで走り、次の日に関空からみずきひとりで北海道へ帰ることにした。

時間と体力が許す限り、観光しながら徳島へ向かう。

まず道後温泉に行った。さすがに温泉に入っていくわけにはいかないが、名産のみかんを使った土産をたっぷり買い込んで、高速で徳島へ。途中香川でうどんを食べ、徳島まで走り、眠る。

次の日道の駅くるくるなるとで、みずきの好きなものを買って回った。体調は悪くなっていたはずだが、鳴門金時のお土産に目移りしながら、あっちへこっちへとても楽しそうだった。

数々の鳴門金時のお土産の中で一番のヒットは「おいもあんぱん」だった。焼き上がりの時間になると行列ができ、あっという間に売り切れてしまう人気商品だ。

列に並んで購入し、外のベンチでふたり並んで食べた。ふわふわのパンの中にぎっしりと芋餡が入っていて、みずきは大興奮だ。

嬉しそうに笑うみずきを見ていると、「みずきががんのわけがない、この時間が終わってしまうはずがない」という思いがぐるぐると巡り、頭が痛くなった。

実はこのときの様子も動画を撮っている。

なぜこんな状況でカメラを回すのか？　普通ならふたりの時間を大切にすべきだろう。

しかし、僕たちにとってYouTubeは仕事だ。働かなければあっという間に生活できなくなってしまう。万が一がんだった場合、どれだけの治療費が必要になるのか見当もつかない。がんでなくても、みずきが重い病気だった場合、YouTubeを続けるのは不可能かもしれない。

みずきの気持ち次第では、YouTubeはやめてもよかった。しかし、現状みずきもYouTubeを続けるつもりのようだ。

淡路島の道の駅でも好きなものを買い、関西国際空港へ。

「最後にたこ焼きを食べたい」と言うので、時間がない中たこ焼きを食べ、小走りで搭乗口へ向かった。

みずきは飛行機で、僕はマシューと北海道を目指す。

コロナの影響でお見舞いはできないらしいから、ここでしばらくの別れになる。

搭乗口で持っていた荷物を渡し、みずきを抱き寄せる。

すぐまた会える、大した病気ではないはず、きっとすぐにまたここに帰ってきて旅を再開できる……。ポジティブに考えようと自分に言い聞かせるが、元気なみずきに会えるのはこれで最後かもしれない、という思いがじわじわと胸の中に広がり、涙声になってしまっている。

平気なふりをして「気をつけてね」と声をかける。

「じゃあね」と、みずき。

「うん」

「事故るなよ」

「ゆっくり向かうよ」

「またね」

みずきの背中が搭乗ゲートの中に消え、見えなくなる。

その途端、ギリギリのところで堪《こら》えていた涙が溢れ、空港の中で泣きじゃくった。

車に戻り、YouTube の撮影をしようとカメラを回す。

しかし、涙が止まらず、しばらくひとりで泣いていた。

ポジティブになろうと言い聞かせていた言葉たちは遥か彼方に去り、最悪のシナリオばかりが頭をよぎる。「すい臓がん」という言葉は振り払っても振り払ってもまとわりつき、心を真っ黒に塗りつぶしていく。


いつまでも泣いていたって仕方がない。僕はマシューと共に北海道を目指した。

関空から名古屋まで下道を走り、名古屋港から苫小牧港へフェリーで向かうルートだ。

名古屋までの道中、USJや明日香《あすか》村など、かつてみずきと旅した楽しい思い出の地を通るたび、今の状況が信じられず涙が出る。

北海道までの道中で、どれだけの水分を失ったかわからない。

フェリーの中で編集作業中、みずきから連絡が入った。病院で受診した結果、入院してさらに詳しい検査をすることになったそうだ。

がんかどうかは生検（生体検査）をしなければわからないとのことだった。がんでなかった場合、免疫性すい炎が考えられ、入院での治療になる。

がんであった場合、簡単に処置できるレベルではないので、まず黄疸だけ処置し、その後は長期的な治療になる。

どうか、どうか、がんでありませんように。

僕が到着する次の日からの入院にしてもらえたらしく、入院前にもう一度みずきに会えることになった。

正直どれだけの期間の入院になるか、次いつ会えるか全くわからなかったので、みずきに会えるのが嬉しくて嬉しくて、フェリーで隣に座っているおじさんにも話しかけてしまいそうなほどテンションが上がった。

この後フェリーで2泊し、昼前には苫小牧港に到着する。

下船し、車の窓を開けると急に秋の匂いが深まった気がした。

名古屋にいたときはまだ夏の名残があったが、苫小牧の街路樹はすでに紅葉し、頬を撫でる風はひんやりと冷たかった。

道の駅『サーモンパーク千歳《ちとせ》』で、みずきと待ち合わせる。

車を停めると、待っていてくれたみずきの姿が見える。

駆け寄って抱きしめる。ほんの数日ぶりだが、心なしか細くなったように思う。黄疸がさらに進み、白目がかなり黄色くなってしまっていた。

道の駅で昼食を取り、ちょうど鮭の遡上《そじょう》の時期だったので千歳川を見に行く。水面を覗いてもどこに鮭がいるかわからなかったが、よく見ると水面だと思っていた部分全てが鮭だった。

川の途中がせき止められていて、鮭がそこから川上に行けないようになっていた。そのせきの一部が開いていて、そこに鮭が入ると少し奥に鮭を巻き上げる機械があって、ほぼ全自動で鮭が収穫されていた。さすが北海道だ。

この夜はふたりでホテルに泊まった。

ホテルに到着すると、みずきはすぐに眠った。相当疲れたんだろう。

次の日、みずきの入院のために病院へ向かった。

面会はできない。今回の入院は検査だけのようだが、そのまま入院治療となればどれだけの期間会えなくなるのか……。

病院へ向かう車内で、みずきに籍を入れたいと伝えた。

万が一がんだとしても、みずきの一生を一緒に生きていきたいという僕の覚悟だった。そもそも旅が終われば結婚する予定だったのだから、ここでこの話をしないのはおかしい。

みずきは黙り、涙目になり、「また今度話そう」と話題を切り替えられた。

病院に着くと、いろいろ買い物をしたいというので病院内のコンビニへ行く。歩く速度も遅く、とても辛そうだ。

本人は明るく振る舞っているつもりのようだが、声も弱々しく、一緒にいるだけで心配になる。

病院の中を見て回ったが、当然娯楽施設などはない。あるのは治療のための場所とコンビニ、食堂くらいだ。

数カ月、もしくは数年？　ここにいなくてはいけないかもしれないことを思うと、可哀想で仕方ない。

みずきと別れ、今夜眠れそうな場所を探しに行った。

今まで半年間車中泊で生活してきたのだから、ホテルを取る必要はない。札幌近郊で眠ることができそうな場所を点々としていくつもりだった。

みずきと離れると、不安が冷たい水のように心に広がる。

その後、みずきから現状報告のＬＩＮＥが入った。

今日は内視鏡で細胞を取って見るだけの予定だったが、怪しい細胞があったので黄疸の処置もしてしまったらしい。

みずきの体調不良は黄疸が出ていることが原因だった。というよりは、黄疸の元になっている炎症だ。胆管が炎症のために腫れて圧迫され、胆汁の流れが悪くなっているという。

胆汁が流れるように、金属の管を入れ、狭くなっている胆管を無理やり広げる処置をする。この管をステントというのだが、入れる前は細く閉じていて、入れると広がって胆管を押し広げる仕組みらしい。

ステントが広がっていくときの痛みが、ものすごいらしい。後にみずき曰く、がんになってから2番目に痛かったのは、このときの胆管ステントだったそうだ。

夕方、処置が終わったと現状報告のLINEが来たが、その後連絡が途絶えた。心配で、状況が知りたくて何度もLINEしたが、夜中唯一来た返信の文面は、

「痛くてLINEむりごめん」

絵文字もなし。相当辛いのだろう。自分の無力さを感じ、また涙が静かに流れる。

北海道の10月の車内は冷たく、夜寝るときはとても寒かった。

心細さと寒さを堪え、夜に沈み込むように眠りについた。

早朝、あまりの寒さで目が覚める。温度計を見るとマイナス3度。外に出ると、水溜まりが凍っていた。清々しい朝の空気の向こう、山の頂上に雪が積もっている。

この日はひとりで案件動画を撮影した。

病気になる前にお話をいただいていたドライブレコーダーの案件で、ひとりでの撮影でも大丈夫と言ってくださったので引き受けた。今は少しでもお金が欲しい。

もしみずきががんだったら、動画はバズるだろう。だが、みずきがショックを受けてYouTubeをやめると言うかもしれない。その場合はYouTubeを続けるつもりはない。

では生活費をどう稼ぐ？　そもそもがんの治療はいくらかかるのか。

いざとなれば、保育士の仕事ならすぐ見つかるだろう。しかし、保育士の給料だけで闘病を支えながら生活していけるとは思えない。

あらゆる金策が浮かんでは消え、とりあえず目の前にある仕事を片付けることにした。撮影、編集、冬に向けて必要になったものの買い出しなどで、あっという間に時間は過ぎていく。

この日、みずきは痛みに耐えながら過ごしていた。

平気ならもう退院してもいいとのことだったが、とても痛くて無理なので退院を延ばしてもらったのだそうだ。明日退院するかどうかも相談中とのことだった。

翌々日、みずきからＬＩＮＥが来た。また退院を延ばしてもらったらしい。

痛みが強いという。座薬を入れると痛みが治まるようだが、切れるとまた痛む。

生検の結果があと数日、早ければ今日か明日には出るそうで、それまで入院していていいと許可が出た。

また、リンパ節が腫れているからやっぱり長期治療となる。短くとも1年以上はかかるだろうとも言われたそうだ。

つまり、そういうことなのだろう。まだがんだと信じたくない自分が最後の抵抗をしているが、現実的には部屋探しも必要になった。

最低でも1年なら、拠点を作る必要がある。もし通院治療をするのならみずきに車中泊やホテル泊をさせるわけにはいかないし、家を借りるのは必至だ。

翌々日の夕方、いよいよ検査結果を聞きに病院へ行った。日が暮れてくると空気は張り詰めて冷たくなり、肌を刺す。心の中で「がんなわけがない、がんなわけがない」と唱えて平静を保とうとするが、心臓は暴れ、息をするのも難しい。

病院前でみずきの母と落ち合い、受付でどこに行けばいいかを聞く。みずきの入院している病棟で先生から説明が行われるそうで、エレベーターで向かう。みずきの母とふたり、お互い核心をつく話題は避け、最近の日常の他愛ない話をする。エレベーターの音が耳に響く。

まず病室でみずきに会う。数日ぶりに会ったみずきはさらに痩せたようで、患者衣のせいもあって、いかにも元気がなさそうに見えた。みずきの手を握り、説明があるという会議室へ向かう。

小さな会議室で待っていると先生が入ってきて、挨拶もそこそこに本題に入った。

どんな検査をしたかという話の後、その結果が端的に伝えられた。

「みずきさんはすい臓がんです」

涙が流れた。

目頭が熱い、と感じる間もなく、何かが壊れてしまったように僕の目からは涙が流れ続けた。

そばにあったアルコール消毒用のキッチンペーパーで涙を拭いていると、看護師さんがティッシュを箱ごと持ってきてくれた。

もはや涙を流す以外の機能を失ってしまった僕と、冷静に話を聞くみずきとみずきの母。

初めは僕に向けて話していた先生も「こいつはダメだ」と思ったのか、みずきとみずきの母に話をしている。

激しい頭痛がし、ぼんやりと声が遠のく頭で「あ、もうティッシュがなくなってしまう、せっかく持ってきてもらったのに」と場違いなことを考えていた。

涙の合間をぬってかろうじて理解できたのは、みずきのがんはすい臓がんの中でも珍しいタイプのものらしいということだった。

治療法が確立されておらず、まだはっきりとは言えないが、厳しい状況らしい。

なんとか頭を働かそうと歯を食いしばるが、涙は流れ続ける。

切れ切れに聞こえてくる先生の話では、ＰＥＴ検査というがんの転移を調べる検査をして、その結果、転移がなければ大手術をしてすい臓とリンパを切除する。そうすれば１％くらいの確率で治るらしい。

１％？　では99％は？

ＰＥＴ検査の結果、がんが広がっていれば治すのはほぼ不可能に等しい。症例が少なく情報も少ないため、通常のすい臓がんの抗がん剤を当てずっぽうのように試していくしかない。

話が終わると、３人で話す時間がもらえた。

先生と看護師さんが出て行った部屋で、何を話したかは覚えていない。

きっとまだ希望はあるというようなことを、口にしたはずだ。

みずきはこのままもう少し入院するらしく、みずきと別れ、みずきの母と再びエレベーターに乗る。

「本当に気をつけて帰って、しばらく休憩してから運転してね」と声をかけてもらったが、「どこにも帰るところなどない」と思いながら「わかりました、大丈夫ですよ、すみません」と微笑んだのを覚えている。

自分が本当に微笑んでいたかはわからない。

みずきの母を見送り、運転席でひとり前を見ていた。

エンジンをかけていないので寒い。

目には何も映らず、相変わらず頭が痛い。

みずきに連絡しようと思い立ち、スマホを開く。

さっき何を伝えられたか、伝えられなかったか……、覚えていないからみずきを安心させなくては。

俺が泣いてごめんね。泣きたいのはみずきなのに
俺はみずきが幸せに生きれるようになんでもサポートするから、気使ったりしないでなんでも言ってね！　本当に本当にみずきが大好きだよ。

LINEを送るとすぐに返事が来た。

いいんだよ、泣いてくれてありがとう。みずきはこーちゃんに愛されて、こーちゃんという居場所を見つけられただけで人生勝ったと思ってるから（笑）
こーちゃんがそばにいてくれるだけで満足なの。これからもお世話になりっぱなしで本当に本当に申しわけないんだけど、無理だけはしないでね。みずきも大好きだよ。

俺はずっとずっとそばにいるよ!!
申しわけないことなんてひとつもないよ。俺はみずきがいるから幸せなんだよ

ありがとう。そう言ってもらえるだけで、心から安心出来る。
みずきもだよー。とりあえず今日は色々考えすぎず、ゆっくり寝てね。

ディズニーも行こうね。

本当!? 嬉しい!

行けるタイミングでどこでも行こう!

うんうん、ありがとう。

みずきの送ってくれる言葉をひとつ読むたび、鼓動が落ち着き、心が少しずつ体に戻ってくる。

頭痛は治まり、「何をやっているのだ、自分がしっかりしなくては」と当たり前のことにやっと気がつき涙を拭く。視界が開けた。

僕にはやるべきことがある。動画の編集もしなきゃならない。

車のエンジンをかける。

急激にお腹が空いた。朝から何も食べていない。

まず、夕ご飯を食べよう。

遅れてしまう。早く行かなくては。

みずきと目的地に向かっているのだが、明らかに間に合わない時間になってしまっていて、ゆっくりと準備するみずきに少しイライラしてしまう。

だが、本人に悪気はない。ただ、このままでは遅刻してしまう。約束があるのに……。

目が覚めるとマシューの中にいるのは自分ひとりで、今のが夢だったと気づく。

夢の中では僕たちはまだ旅の途中だった。

何時間遅刻しても構わないから、あちらが現実だったらよかったのに……。

トイレに行こうと外に出ると今日も快晴で、鼻へ抜ける空気が爽やかに冷たい。

みずきから、退院は明日になると連絡があった。PET検査を受けた後は結果が出るまで好きに過ごしていいというので、みずきにディズニーランド行きを提案する。

今後みずきの体調がどうなるのか全くわからないし、今が一番元気かもしれない。

みずきは『美女と野獣』のアトラクションに乗りたいらしく、以前からディズニーランドに行きたがっていた。

みずきの体が動くうちにディズニーに行こうと話がまとまる。

翌日の午前10時頃、病院へみずきを迎えにいく。

ステントを入れたところが痛み、体調が悪そうだ。

ふたりで手を繋ぎ歩いているとき、街路樹のイチョウが鮮やかに黄色くなっていることに気づいた。

あとどれだけの季節を一緒に越えられるだろうか。唇が震え、イチョウの葉の黄色が滲む。

みずきの手を握り、病気を治すんだと気持ちを立て直す。

近くの公園の駐車場に停め、マシューの中で話し合いをする。今後についてだ。

まずみずきに最後の意思確認をする。

このままYouTubeでがんを発表すれば、バズるのは間違いない。当面の生活費にも困らなくなるだろう。しかし、信じられないほどの人に見られることにもなる。
がん闘病系 YouTuber をリサーチすると、がんの発表動画は数十万回再生されているものもある。ただ、がん闘病系の YouTuber のほとんどが、がんになってから YouTube を始めている。圧倒的に先行者有利のプラットフォームにおいて、全くゼロからがんを発表し、数十万回再生されている。

僕たちはすでに登録者3万人弱。確実に最低でも100万回オーバーにはなる。それでもいいかと確認した。

みずきの答えは、「自分ががんと向き合う姿を見せることで、後で同じがんになる人の情報や希望になるのならやりたい」だった。

みずきがやると言うなら、僕は全力でサポートする。やるからには絶対にバズらせる。それが YouTuber だ。

この日ふたりでいろいろと話し合って作戦を立て、練りに練った動画を撮影した。
動画の公開はもう少し先にした。

みずきの母がディズニーホテルを予約してくれたらしい。
みずきを受取人としていた生命保険を解約し、これはみずきのお金だからと今回のディズニーの旅費にしてくれた。

みずきは子どものように喜んで、「ディズニーホテルにお泊まりするための服が買いたい」とはしゃいでいる。

久々に見る大はしゃぎのみずきはとてもかわいく、世界を明るくしてくれた。

この先、辛《つら》いことがきっとたくさんあるだろう。そのぶん今を眩しく照らして、先を見えなくしてほしかった。

たとえみずきと過ごす時間が短くなるような選択を迫られたとしても、みずきの意思を優先していきたい。

僕にできることは、みずきの望みを叶えることだけだ。

みずきさんから見てどうでした?

大きな病院に行くようなこともないまま大人になったので

赤ちゃんの頃は熱が出やすかったり、風邪をひきやすかったりしたらしいんですが、成長してからは、熱が出ても1日あれば下がるし、インフルエンザも罹《かか》ったことはないし、健康だったと思います。だから、体調不良の原因がなかなかわからなかったときも、そんなに思い悩まなくて、どちらかと言うとこうちゃんのほうが、「ちゃんと診てもらったほうがいいんじゃないかなぁ」って言ってました。私は大きな病院に行くようなこともないまま大人になったので、「病院やだなあ」くらいの感じでした。

ただ、長引いてくると撮影にも影響が出てきたのが申しわけなくて。職業としてYouTuberをやっているわけだから、撮影が止まると収入も止まってしまうので、体調がいいときにまとめて、「とにかく撮影しなきゃ、何か撮らなきゃ」というプレッシャーがありました。

あとは、日本一周の行き先プランは私が決めていたので、とにかく「残したい」という気持ちがあったんです。こうちゃんは「旅がしたい」っていうのはあるけど、「ここに行きたい」っていうのがあんまりなくて。私自身が気に入っていてお勧めしたい場所だから、残したいとかみなさんと共有したいっていう思いがあって、撮影したい思いが強かったんです。

こうちゃんが、「今日は体調も悪いんだから仕方ないんじゃない?」って言ってくれても、泣きながら「でも撮りたい!」って言って動画を撮ったりしました。

だから……意地、でしたね(笑)。それに体調が追いつかなくて、こうちゃんも困ってたと思います。

自覚症状から調べて出てきた言葉は……

すいがんと診断されたときも、私はがんに対する知識が本当になくて、その中でもすいがんがどういうものかっていうこともわからなかったんですね。今は治るがんも多いじゃないか? というイメージがあって、大丈夫と思っていたわけじゃないけど、わからなすぎたという感じでした。

自覚症状から調べているときにもすいがんっていう言葉は出てきたので、それかもしれないとひとりで思って、こうちゃんにちょっと大きい病院に行ってみるって言って、そしたらすいがんって診断されたので「当たった。やっぱりすいがんだった」みたいな気持ちでした。

たぶん、こうちゃんはすいがんが大変なものだってわかっていたので、ふたりの気持ちに大きな落差があったんですよね。

私は旅のプランが全部だめになってしまうし、病気になってしまったことでこうちゃんに大きな負担をかけてしまうので、とにかく申しわけないっていう気持ちでいっぱいでした。

”

第4章　ずっとみずきのそばにいる

それから数日間は、安いホテルでのんびりと過ごした。

みずきはネットで家探しをしたり、ディズニーの計画を立てたりしていた。

僕は動画編集をしたり、がんについて調べまくったり、と、やりたい作業はいくらでもあったが、ふたりで『美女と野獣』を見たりもした。

みずきの体調はムラがあって、悪いときもあれば、結構元気に楽しそうにしているときもある。

ある昼下がり、ふたりでご飯を食べながら『NHKのど自慢』を見ていたら、女性が出てきて「開業したい夫のために歌います」と、ユーミンの『守ってあげたい』を歌い始める。

特別歌がうまいわけではなかったが、旦那さんへの想いが込められていて、気づくと僕もみずきも涙を流していた。

「心配しなくていいよ」

この曲のように、みずきにそう言ってあげられたらどんなにいいだろうか。

僕は病気からは守れない。

ただ、そばにいることはできる。

僕は何があっても、ずっとずっとみずきのそばにいよう。

ＰＥＴ検査の予約の日、病院へみずきを送った。

ＰＥＴ検査は、がんの転移の有無を全身一度に調べることができるらしい。

ＦＤＧ（放射性フッ素を塗布したブドウ糖）を注射し、それが全身に広がったところでＣＴを撮影する。がん細胞は通常細胞よりブドウ糖を必要とするので、ＣＴで赤く光ったところ、つまりブドウ糖が集まっているところががんの可能性があるという原理だ。

ＰＥＴ検査は無事に終了し、結果は1週間後に出るらしい。

その間にみずきの願い通り、ディズニー行きを決行する。

明日からは東京だ。今日は早めに寝よう。

11月、秋晴れの空の下、朝からディズニーランドへ。

実は僕にとって人生初めてのディズニーランドだ。数年前にみずきとシーに来たことはあったが、そのときはみずきの決めた予定をこなすため、暑い中あちこち走り回った覚えがある。

今回はみずきは車椅子。

車椅子を押していると目立ってしまうかと思っていたが、意外にも夢の国にいる人々は自分たちに夢中だ。みずきのように若くて車椅子に座っていても、誰も気に留めない。まさか、がん患者だとは思いもしないだろう。

かなり昔に買ったというオズワルドのカチューシャをして、ニコニコ車椅子に座るみずきはなんだか幼く見えた。

今回は自分の体力も考えて緩めの予定を立てたというみずきのプランはこうだ。

『バズ・ライトイヤー』や『モンスターズ・インク』のアトラクションを楽しみ、休憩がてら『トイ・ストーリー』のポップコーンを買って、『プーさんのハニーハント』、そして今回最大の目的の『美女と野獣』のアトラクションだ。

各アトラクションでは列に並んでいる間は車椅子で進むことができ、みずき曰く「こんなに楽なディズニーはない」というほど快適だったようだ。

途中、ペダルを漕いで進む、車とピアノが一体になった乗り物に乗っているキャストさんがやってくる。みずきを見つけるとニコッと微笑んで「競争しよう」と手振りで誘ってくれる。

スタート位置に着き、グッと足に力を入れて車椅子を押す。

そもそもスピードを出す仕様になっていないピアノのお兄さんは、笑いながら手を叩いてみずきを褒めてくれた。

アトラクションに乗るときは、係の人が腰をかがめてみずきに話しかけてくれる。

これだけの距離を歩いてもらわなくてはいけないのだけど……と申しわけなさそうに説明してくれる。短い距離ながら、みずきは自分の足でしっかり歩いた。

車椅子でいると、少し周りの世界が優しくなるようだ。


みずきのメインイベントだった『美女と野獣』のアトラクションは、30代半ばのおじさんである僕にも楽しめた。

素晴らしいクオリティで再現される『美女と野獣』の世界に、みずきはうっとりしていた。

みずきの横顔を見つめ、ここで時が止まればいいのにと何度目かわからない虚しい願いを唱える。

時は止まらなかったが「なんて素敵なの」とすっかりプリンセスモードのみずきを見て幸せな気持ちが湧き出てきた。

夜のパレードまでしっかり楽しみ、お土産をたっぷりと買い込んでエントランスに向かっていると、『美女と野獣』のお姫様ベルに出会った。

小さい子どもたちと写真を撮ったり、微笑みかけたりしているプリンセスは、僕のプリンセスにも微笑んでくれた。

「小さい子たちがいるから……」とみずきは遠慮していたが、「大丈夫だよ」と背中を押して、明らかにみずきを気にかけてくれていたプリンセスに「写真いいですか？」とお願いする。

普段なら僕も子どもたちに遠慮してしまうが、この1回のディズニーにかける想いはその辺のお父さんに負けてない。しっかりみずきとベルの2ショットを撮らせてもらった。

たっぷりと夢の国を楽しんでホテルに戻ると、動画がバズっていた。

実は先日撮ったすい臓がんの発表動画を、今日の19時公開に設定しておいたのだ。

動画タイトルは「婚約中の彼女がすい臓がんになりました。【日本一周車中泊中断】」

サムネには福岡の八女《やめ》市でたまたま出会ったフォトグラファーの方に撮っていただいた、僕たちが笑顔で向き合って座っている、お気に入りの写真を使った。

動画が拡散されるためには、タイトルとサムネはものすごく重要だ。

この動画はなんとしてもバズらせたかったので、散々ふたりで話し合った。結果シンプルに、でも自分たちらしく明るく現状を伝えようとこの形になった。

ちなみに僕たちの動画でそれまでの最高記録は、旅の前に出したカノアの納車動画。この時点で130万回再生されていた。

すい臓がんの発表動画の再生回数の推移は以下のようになった。

最初の1時間で7000回
2時間で3万回
5時間で11万回超え
1日で37万回超え

たった1日で納車動画を除くそれまでの全ての動画を抜きさった。

絶対にバズらせようと思っていたが、反応は思った以上だった。

スマホを見るたびに数千回単位で視聴数が増え、次々とコメントがつき、3万人だった登録者も1日で倍になり、数日で10万人を超えた。これが本当にバズるということなのだと実感した。

再生数が伸びるたび、今までずっとつきまとっていた「お金どうしよう」という緊張感がふっと緩んだ気がした。心の中に安堵が広がり、今まで「大丈夫」を繰り返しながらも不安を感じていたことに気づいた。

ずっと節約旅を心がけ、旅をしながら貯金できていたので、すぐ生活に困ることはなかった。

しかし、北海道での家が決まるまでのホテル滞在費、家の入居費、家財道具、みずきの医療費……今後どれだけのお金が必要なのかわからぬまま出費ばかりが重なっていた。

「大丈夫、好きなもの買っていいよ」

「ディズニー行こう」

「このソファがいいの？　いいよ、値段なんて。俺がどうにかするよ」

とみずきには言いつつ、実際は「動画がうまくいかなかったらどうしよう」と、お金を稼ぐ方法ばかりを考えていた。

金銭的な不安が和らぎ、夢の国の夜はものすごくよく眠れた。

11月8日、先日行ったPET検査の結果を聞きに行く。

ゆっくり話ができるようにと一般診療がない午後の時間の予約だった。みずきの母と病院で合流し、3人で待つ。

検査が立て込んでおり、担当の先生の手がなかなか空かないらしい。

PET検査の結果が良ければまだ手術の可能性がある。手術できればまだ治る可能性もなくはないと前回聞いていたので、意識しないようにと考えるが鼓動が速くなる。心臓が持たないので早く呼んではしいが、結果を聞くのが怖い気もする。

結局、呼ばれたのは、約束の時間から1時間以上経ってからだった。

みずきが診察室の扉をノックすると、「どうぞ」と先生が答える。

「お待たせしてすみません。早速ですがこちらがＰＥＴ検査の画像です」

と、挨拶もそこそこに結果を見せられる。

ＰＣの画面には黒い背景に青色のみずきのシルエットが映っていて、脳みそが赤く光っている。他に目立つところとしてはお腹の辺りも光っている。

「ＰＥＴ検査ではブドウ糖が集まっているところが赤く光るようになっています。脳や腎臓は赤く光っていますが、もともと糖が集積する場所なのでこれは普通です。そしてこちらのすい臓の部分も赤く光っているのがわかると思います。がん細胞が集まっているところもこんな風に赤く光ります」

確かに、先生が指差したところが素人目にもはっきりわかるほど赤く光って見える。

「ただ、問題なのはこの部分」

先生が青いみずきの左鎖骨部分を指す。

「鎖骨のリンパに転移が見られます。転移があるので手術はできません」

音が遠ざかっていった。

再び涙が流れ、意識をシャットアウトしようとするが、歯を食いしばって前のめりに説明を聞く。

みずきは泣いていない。ただ黙って話を聞いている。

「がんが発生した場所を原発巣《げんぱつそう》と言い、原発巣から遠く離れたところ、今回の鎖骨のような場所に転移していることを遠隔転移と言います。みずきさんは遠隔転移しているため、すい臓がんのステージ4となります」

絶望の底だと思っていた場所はまだ途中で、もっともっと暗い絶望が意識を飲み込もうとしていた。

「素人考えですが、この転移しているところも手術で取ってしまえばいいというわけではないのですか?」

みずきの母が聞く。そうだ、がんの場所がわかるなら全部取ればいい。

「PET—CTに映るのはある程度大きくなってしまった腫瘍だけです。これだけ離れたところに大きながんがあるということは、全身にがん細胞が散っていると考えていいと思います。すなわち、目に見えるがんを切ってもまた再発してしまうので、意味がないのです。この状態では手術は適用外です」

「治すことはできるんですか?」

みずきが聞く。

「残念ながら抗がん剤による延命治療しかできません」

頭が割れるように痛み、涙腺はまたも決壊している。現実を遮断しようとする体に抵抗し、なんとか質問する。

「延命、というのはどれくらいできるのですか?」

「みずきさんのすい腺房細胞《せんぼうさいぼう》がんは症例が少なすぎてはっきり言えませんが、あくまで一般的なすいがんとして考えた場合、治療しなければ4カ月。抗がん剤で延命治療したとして6カ月から2年でしょう」

4カ月？　次の春を迎えずに、みずきはいなくなるかもしれないということ？

耳鳴りがし、現実の音が遠のく。

「状態からすればすぐにでも治療を開始すべきですが、いかがでしょうか？」

治療？　治せないと言ったばかりなのに？

抗がん剤は体を滅ぼすという話もたくさん聞いている。

過去に見た映画の映像などがフラッシュバックし、みずきの辛そうな様子が目に浮かぶ。

「治療はどんなものになるのでしょうか？」

再びみずきの母が聞く。

「みずきさんの場合若くて体力があるので、最初に強い抗がん剤を使ってできる限りがんを叩くということをしたいと考えています。ただ……」

少し言い淀んでから言葉を続ける。

「すい腺房細胞がんの場合症例が少なすぎて、治療法が確立されていません。一般的なすいがんと同じ抗がん剤を順番に試していくという方法を取るほかありませんが、効くかどうかやってみないとわかりません」

この人は一体何を言っているんだろう。

目の前の白衣の人への信頼を一切なくし、震える声で僕は言った。

「セカンドオピニオンを受けたいと思っていますので、いったん治療については待ってください」

診療を終え、ぐったりと座り込み会計を待つ。

みずきと母が何やら話している。

僕はスマホを開いて、猛然と病院の情報をリストアップし始める。

動画のコメントですいがんの有名な病院はいくつか情報が入っていた。

こんな日本の端っこの病院ではなく、東京など大都市の有名病院なら結果は違うはずだ。

医療はどんどん進歩している。次々新しい治験なども行われている。

まずセカンドオピニオンの予約を取らねば。

会計が終わり、薬を処方してもらいに行く。その間に予約の電話を次々とかける。

人気の病院は電話すら繋がらない。

気持ちが焦る。

あと4カ月しかないのだ。早く、早く。

病院を出て今日泊まるホテルへ向かった。

みずきの母とは夕ご飯を一緒に食べることにして、いったん別れる。

車に乗り込む頃には日が傾き、空が赤く染まってきている。

美しい景色を、みずきと見ることが好きだ。

おいしいご飯を、みずきと食べることが好きだ。

手を握り、何もない夕方をみずきと散歩することが好きだ。

思い出すのは、最初にみずきに告白した西表の丘の上。

あの坂道をよく散歩した。

暮れゆく太陽が空を鮮やかに染め上げ、海も空の色を映す。

あと少し経てば、やっと出番が来たとばかりに星たちが降り注ぐ。

満天の星の下、僕たちの未来には希望しかなかった。

車を発進させ駐車場を出る。

「前にも言ったけど、結婚しよう」

言葉が口から出てくる。

信号で車が停まる。

「みずきが嫌でなければ結婚しない理由がないし、みずきは絶対治ると思ってるけど、もし、万が一時間が限られているなら、少しでも長く夫婦でいたい」

みずきは黙っている。

「これからなんでもみずきの願いを叶えてあげるし、治療もみずきの決めたように進めればいいけど、もし俺の願いをひとつ叶えてくれるなら結婚してほしい」

みずきのほうを向くと、泣いていた。

がんの疑いがあると言われたときも、診断がついたときも、余命宣告を受けたときも、ひと粒の涙もこぼさなかったみずきが泣いていた。

「うん、わかった、ありがとう」

この日泊まったホテルは、値段の割に豪華だった。

チェックイン時、みずきは「ここに住む！」と喜んでいたし、後で合流したみずきの母も立派なキッチンやソファにテンションが上がっていた。

僕がひたすらPCとにらめっこしている間に、夕飯は『串鳥』という北海道ではよく見るチェーンの焼き鳥屋さんでテイクアウトすることに決まった。

みずきが電話で注文し、僕が歩いて焼き鳥を取りに行く。

持ち帰った焼き鳥を3人でモリモリ食べ、絶望の夜は穏やかに更《ふ》けていった。

この夜、例の動画は200万回以上再生されていた。

3日目で200万回超え。正真正銘バズっていた。

みずきのがんは回線を通じて全国を駆け巡った。

11月12日、友人の医師Mさんから電話が入る。

以前からYouTubeにコメントがついたり、自分たちでネットで調べていたりした民間療法、自由診療などについて相談した。

がんの治療というのは、調べれば調べるほどわからなくなっていく。

絶望的な状況から奇跡の回復を見せた話はネット上にはゴロゴロ転がっていて、「これががんに効く」という食材は無数にあり、抗がん剤は国の陰謀で体を滅ぼすだけだと書いてある記事も数えきれない。

正直、何を信じればいいのかわからなかった。医者は国と結託して抗がん剤を作る製薬会社から莫大な利益を得ていると言われたら、誰を信じればいいだろう？

一方で民間療法や自由診療こそ悪で、治療が行き詰まってしまったがん患者の足元を見て高額な治療費をふんだくる。それだけならまだしも抗がん剤治療や手術から遠ざけ、治るはずだったがん患者が、自由診療に頼ったために治らなかったという話もある。

信じるべきは科学的根拠だが、GoogleScholarで論文を検索しても意味がわからない。僕には根本的な医学的知識がないからだ。

そこで、信頼できる友人で医師免許を持っているMさんに意見を聞くことにした。

自由診療をしている人からは次々と連絡が入ったのでオンラインで話を聞き、資料をもらった。その資料をMさんに見てもらって、どのくらい信頼できるものなのか調べてもらったのだ。

Mさんは開口一番こう言った。

「恨まれる覚悟で言います」

普段と変わらぬマイペースな調子だが、彼の真剣さが電話越しに伝わる。

「絶望的な状況は十分承知の上だけど、結論から言えば、僕は標準治療をお勧めします」

Mさんによれば、自分の学生時代の友人でがんや消化器を専門にしている人々に当たり、意見を聞いてくれたらしい。僕が提示した自由診療について転送した論文を読んでくれたり、独自に仲間内で検討してくれたりしたそうだ。結果、どれもエビデンスに乏しく、効く見込みははっきりしないとのことだった。

「標準治療」という名前から〝並の治療〟であると誤解されがちだが、標準治療は世界中で行われた臨床試験の結果を専門家が集まって検討し〝最良の治療〟であるとされたものを国が保険適用して行っている。

自由診療は高いので「高級ないい治療である」と思ってしまいがちだが、実際には標準治療に使われる薬もものすごく高い。それを国が保険適用し、高額療養費制度などを使うことで安く提供してくれているだけで、決して「並レベルの安い治療」という意味ではない。

落ち着いた声でそう話すMさんの声は真実を語っていることが十分伝わり、だからこそ苦しかった。

じゃあどうしろというのだ?

その「最良の治療」で「長くてあと2年」と言われているのだ。

僕の気持ちまでわかった上で、「恨まれる覚悟で」と話してくれる彼が嘘をついているわけがなく、だからこそ涙が止まらなかった。

やはり標準治療は外すべきではないのだろう。自分でも薄々はわかっていた。

ただ、「治るよ」と言ってくれる方にすがりたかっただけだ。

みずきは「治らない」と言われてしまっているのだ。

しゃくり上げながらお礼を言って電話を切る。

併用できる治療を探し、どちらも受けよう。

なんとしても、どうやってでもみずきを治す。

その夜、みずきがステージ4で余命宣告を受けたという動画を公開した。

動画は2日前に撮影したもので、「自由診療も受けたいので医療費のクラファン（クラウドファンディングの略。あるプロジェクトに対して、不特定多数の人が、購入・寄付といった形態で資金を供与する仕組みのこと）をやるつもりだ」と話をした。標準治療も受けるかもしれないが、やはり「延命しかできない」と言われた治療だけに頼るつもりはなかった。

「クラファン」という言葉で炎上するだろうが、炎上しながら拡散されればいい。

炎上は拡散力にもなる。

今まで話を聞いた自由診療の中には1クールで1000万円というものもあった。しかも国内で認められていない診療を受けるためには海外へ行くしかなく、その渡航費は別。どの治療を受けるかまだ決めきれていないが、「これなら治る」というものを見つけたときにお金がないのでは話にならない。

みずきには時間もない。まずお金を集められるだけ集めなくては。

動画は公開直後から順調にバズった。

1時間で14万5000回
4時間で100万回

YouTubeの急上昇1位を獲得する。

シンプルに言えば、この日日本で一番再生された動画となった。

反響は大きく、ものすごい数のコメントがついている。

「クラファン開始待ってます」

「奇跡を信じています」

「お二人の笑顔が、もっと多くの方へ届きますように」

といった大量の応援の声。

YouTube の SuperThanks という機能を使って大量の投げ銭も届く。

動画の中で「YouTube の手数料は高いから、もし寄付をしてもいいという方はぜひクラファン開始まで待ってください」と案内したにもかかわらず、合計100万円以上の金額が飛んできた。

ひとつの動画の投げ銭だけで100万円だ。

人の温かさに胸が熱くなる。

もちろん一部には、「彼氏が働けば」「どうせ嘘だろ」といったコメントもついたが、正直その他の温かいコメントに比べれば微々たるもので気にならなかった。

また、グッドボタン、バッドボタンの比率は驚異の97%超えでグッドボタンが多い。

そして、公開後からたくさんの治療、民間療法、自由診療などありとあらゆる情報が集まってきた。それらを調べ、すぐにできるものは実践した。

重曹とクエン酸を水に混ぜて飲むといいと聞いて買ってきて飲んだり（化学反応で炭酸ができてちょっと愉快だった）、フキノトウががんに効くと聞いて煮物にして食べてみたり（実際には買ってきたのはフキノトウではなく葉の部分だった……）、高濃度ビタミンCを点滴するといいと聞いて実際に点滴してみたりもした。

ともかく何も治療していない今の状態が不安で、できることはなんでもやった。

フジテレビの『めざまし8』の取材を受けた。

スタッフから失礼ながら……と前置きがあり「すい臓がんで治療中であることがわかる資料を見せてほしい」と打診がある。

番組側としては疑うつもりは毛頭ないが、情報確認の責任はもちろんあるとのこと。こちらとしても、テレビスタッフに書類を見せてそれをテロップに入れてもらえば証明になるはず。「詐欺だ」と言っている人もこれでいなくなるだろう。

診断書は特に必要を感じず取っていなかったので、みずきの治療に関して病院からいただいた資料をたくさんお見せした。

番組のディレクターさんはものすごく熱心に話を聞いてくれて「少しでも力になれるように」と最大限の力を使ってVTRを作ってくれた。

テレビの制作現場というものに初めて触れたが、すごい早さで情報をまとめ、あっという間に番組ができ上がっていく姿に驚いた。

『めざまし8』が放送されるとそこからYouTubeを見に来てくれる人が増えた。他の番組や雑誌の取材が次々と入り、あらゆるネットニュースに取り上げられ、時の人のようになった。

もちろん客観的に見れば反応しているメディアは一部で、僕たちを知らない人がほとんどだ。ただ、その渦の中心にいると日本中の人が自分たちを知っていると錯覚しそうになる、嵐のような反響の大きさだった。

みずきさんから見てどうでした?

「自分で良かったな」という想い

東京ディズニーランドに行ったのは、診断の結果が出る前だったんですが……それでもやっぱり単純に楽しかったです（笑）。ディズニー大好きなので。

幸せなその旅行から戻って、余命の宣告まで受けたわけなんですけど。でも「自分で良かったな」と思いました。母でもなくこうちゃんでもなく、とりあえずがんになったのが自分だったことが良かったなって。これがこうちゃんだったり母だったりしたほうが、私は確実に辛かったと思うし、どうしていいかわからなかったと思うので。

これは今になって気づいたんですけど、プロポーズされたときからずっと一貫してるなって思うのは、私の中に「私の死に場所はこうちゃん」っていうのがあって、こうちゃんも母も、そばにいるし、これ以上望むものはないし、自分の33年間の人生もいろんな経験をさせてもらって楽しかった。

もちろんもっとやりたいことはあるけど、今あるものを考えたときに、変かもしれないけどすごく幸せに感じたんですよ。

ここでこうやってこうちゃんのそばで死ぬのであれば、この上ない幸せだなって思ったので、落ち込むことはあまりなくて、なんか振り切っちゃってましたね（笑）。

まさか自分がネットニュースになるなんて！

ＴＤＬに行った夜にすいがんになった動画をアップして、余命宣告を受けた後にもその報告動画をアップしました。実はそのへんの記憶があんまりないんですけど、動画の視聴数を見て「バズるってこういう感じなんだ」って思ったのは覚えています。チャンネル登録者さんもどんどん増えていくし、「わあ、すごい！」って思いました。

ＷＥＢでも情報が拡散されて、まさか自分がＬＩＮＥ　ＮＥＷＳやＹａｈｏｏ！ニュースに載るなんて思ってもみなかったので。

視聴数や登録者さんが飛躍的に増えたことで、いろんな方がいろんなことを言うようになったんですけど、私自身が動画投稿をやめたいなと思ったことはありませんでした。

がんを宣告されていることや、「がん患者ってこうだよね。こうなはず」っていういろんな方のイメージからは逸れているかもしれないけど、誰がどう言ったとしても私ががんであることは真実で、嘘でもなんでもないので。

それより、私の拙《つたな》い情報であれ私のふるまいであれ、ひとりでもふたりでもいいから誰かのためになるのであれば、動画を上げ続けたいと思っていました。胸を張れないことをしていたわけじゃなかったので、やめたいなと思ったことはなかったです。

第5章　そして僕たちは夫婦になった

ＴＤＬに行った翌週に、ＡＧＡスキンクリニックと今後についてミーティングをすることになった。

今まで旅の資金の柱となってくれていたのだが、正直今後は厳しいだろう。まず〝1年間日本一周の旅をする〟という契約そのものを守れていないし、クラファンすると言ったのがじわじわと炎上している。

広告費としてお金を払っているのに、企業イメージを下げるのでは全く意味がない。

そんなわけで、契約がなくなるのは現状避けられないだろう。唯一の安定収入がなくなるのは痛手だが仕方ない……そう思いながらオンライン会議参加のためのＵＲＬをクリックした。

画面に小さな会議室が映り、僕たちの担当のＹさん、サニジャニチームのリーダーのＫさん、いつもは会議に参加していない上役のAさん（契約前のミーティングでのみお会いした決定権を持つ方）も座っていた。

直前まで会議し、サニジャニへの対応を検討していたらしい。

これはいよいよ契約中止だなぁ〜と思いながら挨拶、現状の報告、ご迷惑をおかけして申しわけない旨を伝える。

すると、まずKさんが「直前まで会議していたが、弊社としては契約を継続していきたいと思っています」とはっきりした声で言った。

続けてAさんが「私たちも医療関係の企業の端くれだし、厳しい状況だからこそ一緒に頑張っていきたい。何か私たちにできることがあるはずだから、いろいろ話し合って一緒にやっていきましょう」と言ってくださった。

まさかの展開にまた涙が流れるが、相手にはバレないように平静を装い、お礼を言う。

きっとバレバレだったが……。

僕の涙腺はいよいよ使い物にならない。

今後の詳しいことについては後日アイデアを持ち寄り話しましょうということで、この日の会議は終わった。

その後、AGAスキンクリニックは1年間の契約満了まで一緒にお仕事をさせていただいた。

動画が撮れないときもあったが、雪に埋もれているマシューちゃんのステッカー広告費としてお金を振り込んでくれた。

大企業でも結局現場で仕事をしているのは〝人〟なのだ。

自分たちは一体どれだけ温かい人に囲まれて過ごしてきたのだろうか

その数日後、セカンドオピニオンを受けに、3人で東京へ行った。

成田空港は空港出口が遠いので、みずきは車椅子を借りる。飛行機を降りたところで、病院から着信が入った。

「はい、はい……」と冷静に話を聞いているみずき。僕とみずきの母は「また悪い話か？」とそわそわ歩き回っている。

電話が終わるとみずきが状況を説明してくれた。

電話は主治医の先生からで、「すい腺房細胞がんの症例をいろいろ調べていたら〝フォルフィリノックス〟という抗がん剤治療が効いたという症例があるらしい。どちらにしても若いので強い抗がん剤を使いたかったので、もし治療をされるようでしたらこの抗がん剤治療をしましょう」とのことだった。

今まで「効くかどうかわからないが順番に試していく」だったのが「効いたという症例があるらしい」に変わった。ほんのわずかだが、病気がわかってから初めての希望が持てる話だ。

これは幸先が良さそうだ。セカンドオピニオンでもしかしたら「ちょうど最先端のすい臓がん治療の治験を募集していますよ」と言われるかもしれない。

みずきの車椅子も少し軽くなった気がした。

その日はホテルの近くのファミレスで自由診療をやっている先生と面談する。こちらの話を真剣に聞いてくださって、「絶対にとは言えませんが、当院の治療を受ければ治る可能性は十分あります」とにこやかに話してくれた。

先生の説明もわかりやすく、どうやらみずきの血中の免疫を取り出し、培養して再び血中に戻すことで自己免疫でがんをやっつけようというものらしい。

もちろん自分の免疫を使うので副作用もほとんどない。抗がん剤との併用も可能らしい。治療費も300万から400万くらいで自由診療の中ではリーズナブル。正直これなら現状でも動画の拡散の勢い、今ある貯金、クラファンで集まるであろうお金を考えれば十分手が届くはずだ。

そのまま3人でファミレスで食事をしながら今聞いた治療の感想を言い合う。

僕はこれを受けるのもありだろうと主張したが、みずきはよくわからないと言い、結論は出なかった。

早めにホテルに帰り、大人しくベッドに入る。治療についての情報が浮かんでは消え、全く眠れる気がしないが無理やり目を閉じる。

明日は大切なセカンドオピニオンだ。

先生の話を一言一句聞き逃すわけにはいかないので、今日は早く寝なくては。

東京2日目に、セカンドオピニオンのために、病院に向かう。

小綺麗な診察室にはメガネをかけた若い先生がいて、「どうぞ」と椅子を勧めてくれた。

先生が淀みなく喋る内容は札幌で聞いた話と一緒だった。淡々と事務的に話が進むので、明日の会議の内容について報告でもしているかのようだ。

「セカンドオピニオンでは時間に対して料金をいただいています。まだ時間があるので質問があれば遠慮なくどうぞ」と言われたので、PCを取り出して今まで調べた治療についてひとつひとつ意見を聞いていく。

先生は無表情で「この病院には全国のがんの症例が集まってきますし、最先端の情報が集まっています」と前置きした上で、どの治療についても「僕は意味がないと思います」という説明をした。

PCとにらめっこしながら言い慣れない医療用語を話す僕は、出来の悪い営業マンのようだった。

この数週間寝る間を惜しんで検討した成果をことごとく否定され、意気消沈して部屋を出ようとすると、「抗がん剤が効いたら手術ということもないわけではないです」と、先生の口からひとかけらの希望が漏れた。

僕は足が痺《しび》れたような、まともに歩けないほどショックを受けていたが、同時に先生のことを、命に向き合う職業者なんだなと実感してもいた。

あと数カ月で命の灯火《ともしび》が消えるかもしれない人に、その灯火を消すまいと抗う家族に、あの若さでどれだけ接してきたのだろう。

真剣に命と向き合っているように思えるこの人の言うことは重い。

「こんな治験がありますよ」

「ステージ4だなんて誤診ですね」

「今はこんな治療方法があるんですよ」

何かしら前向きな意見がもらえるだろうと思い込んでいた。しかし、そうではなかった。

だけど今日、何の進展がなかったとしても、まだできることがあるはずだ。

標準治療を選択し、入院日も決まってはいたのだがそれだけではダメだ。自由診療をもっと調べなくては。


翌日、ホテルのベッドでスマホを見るみずきが浮かない顔をしている。

「どうしたの?」と尋ねてみると、「うーん……」と歯切れが悪い。

ゆっくり話を聞くと、クラファンをするのが不安だということだった。

がんの動画を公開すればネガティブな意見がたくさんつくのはわかっていたが、改めてこうしてものすごくたくさんの人の目に触れたことで気持ちが揺れている。やはり「治療費をクラファンで集める」という部分には反対意見が多いし、自分自身も人にお金をいただいてまで……と思ってしまう部分はある。

クラファンすると「人の金でそんな贅沢をして！」と言われ、また叩かれるんじゃないかと不安で、楽しいことをしていても幸せな気持ちになれない。

そう話すみずきはあまり目を合わせてくれなくて、僕に対し申しわけなさを感じているようだ。

クラファンは〝いくら集まったか？〟が誰にでもすぐわかってしまう。

現状の注目度を考えればいくら集まったかはすぐネットニュースになり、さらに多くの野次馬が集まって生活を監視し始めるだろう。それでみずきが幸せになれないというならクラファンはやるべきではない。

クラファンで想定している金額は、到底自分で数カ月で生み出せるものではなかった。しかし、みずきがやりたくないなら仕方ない。

おそらく次の動画もバズる。当面の生活費は以前の2つの動画の広告収益でなんとかなる。クラファンをしなかったとしても現在の収入でしばらく生活に困ることはないはずだ。

ただ、お金を出してでもみずきに生きていてほしい人は絶対いる。しかもかなりの数だと思う。

自由診療でかかるだろうお金を考えると、どうしてもその方々の支援を諦められない。標準治療だけではみずきはほぼ助からないと言われているようなものだから。

今はともかくお金が必要なのだ。

みずきには「わかったよ、別の方法を考えるから大丈夫」と告げ、クラファンは断念することにした。「クラファンやめました」という動画を出せば、クラファン待ちで投げ銭しなかった人々から投げ銭が飛ぶだろう。

ただ、YouTubeとMCN（YouTubeの事務所のようなもの）に取られる手数料は大きい。YouTubeの投げ銭は、30％が手数料として引かれる。投げ銭をしてくれた人がiPhoneを使っていた場合、アプリ使用料としてアップルにさらに10％取られる。

合計40％引かれたところから、さらに30％をMCNに取られる。つまり1000円投げ銭してくれた人がいるとして、手元に残るのは半分以下の420円だ。

ステージ4の動画でも「クラファンまで投げ銭せず待ってください」と言ったにもかかわらず、100万円以上のSuperThanksが飛んだ。

僕たちがクラファンをやめると言ったら、数百万円規模になるかもしれない。

しかしそのおよそ半分が手数料だ。

先日説明を受けた、希望がありそうな自由診療は1クール300万~400万円だった。手数料をそんなに払っている場合ではない。

11月21日、クラファンをやめますという動画を公開した。

内容は「みずきが幸せになれないからクラファンはやめました」という動画だった。その中で〝クリエイター支援〟という形でOFUSEというプラットフォームを用意し、支援してくださる方はそちらに支援してくださるようお願いした。

OFUSEは簡単に言えば、クリエイター支援用の投げ銭に特化したプラットフォームだ。自分が応援したいクリエイターに寄付を添えて手紙のようにメッセージを送れる。

投げ銭ならYouTubeでよさそうなものだが、何より手数料が安く、10%で済む。もうひとつの利点としては投げ銭した人、受け取った人にしか支援金額がわからないようになっている。

クラファンは目標金額をかかげ、その目標に達するように応援してくれる人がいるのでお金が集まりやすい。一方で、いくら受け取ったのかも公開されてしまう。OFUSEならいくら受け取ったのかが非公開だ。

・あくまで寄付でなくクリエイター支援です。
・いただいた支援はみずきの幸せのためなら何にでも使います。
・少しでも疑念を感じる方は寄付をご遠慮ください。

とはっきり明言した。

もちろんこれでも何か言う輩《やから》は多いだろうが、少なくともみずきの中で納得できる。

クラファンでなくＯＦＵＳＥにしたことで、どれだけの金額が集まるのか全く読めなくなった。しかし、動画公開直後からスマホの通知が大量に届き続ける。

ＯＦＵＳＥでは誰かが支援してくれるたびに通知が届くのだ。

この日は夜中、ＯＦＵＳＥが鳴り止まなかった。


朝になるとネット記事が大量に出ていて、それに伴い大量のアンチコメントが届く。

案の定、「自分の金でやれ」「彼氏が働け」といったお決まりの言葉ばかり。

しかし、それよりも、スマホを鳴らすＯＦＵＳＥの通知が安心をくれた。

〝お金を払ってまでみずきを応援してくれる方がこんなにいる〟。その事実が心強く、通知が鳴るたびにじんわりと心が温かくなる。

みずきががんかもしれないとわかってから、ずっと心に居座っていた「お金どうしよう」という影が消えていった。

この頃には、みずきの意思で標準治療を選択すると決めてはいたが、僕は自由診療についてずっと調べ続けていた。

もちろん、どの自由診療も受けさせてあげられるというわけではない。だが、これだけ応援してくださる方がいるのだから、本当にどうしても治療費で何千万円と必要になってもきっとなんとかなるはずだ。

絶対にみずきを死なせはしない。

そのためなら何百万円でも、何千万円でもかき集めてみせる。


みずきの入院当日。

受付で入院手続きをしていると、「コロナ対策のため、病室への付き添いは1名でお願いします」と告げられ、みずきの母と病院の入り口で別れる。

みずきに抱きつく母を見て、また目頭が熱くなる。

2週間の入院だ。その間、面会も一切できない。

しかし、意外な誤算だが、抗がん剤というのは通院で受けられるものらしい。てっきり何カ月にも及ぶ長期入院かと思っていたが、今回の1クール目のみ入院で、その後は通院での抗がん剤治療となるらしい。

ただ、2週間も十分長い。

みずきが辛いときそばにいられず、みずきの状況もわからず待たなくてはいけない。

病室までみずきとふたりで行き、いろいろ必要なものを買いにという口実で病院内のコンビニへふたりで行った。

病室からコンビニまでは少し距離があり、みずきの細い手を握ってゆっくり歩く。

病院の空気は停滞していて、入院患者が生活する匂いの中に、ほのかに死の匂いがする。病気を治す場所のはずなのに、人が終わりに向かう場所のような、静かで暗い雰囲気を感じてしまう。

ここで病気を治し復帰していく人がいる一方で、病気が治らず終わりを迎える人、その周りで絶望に暮れる家族も確実にいるはずで、今はそちらの匂いばかりを嗅ぎ取ってしまう。

「グミとチョコどっちがいいと思う？」

数日分のおやつを真剣に悩んでいるみずきの問いかけに我にかえり、「どっちも買ったら？もっと欲しくなったらまた買いに来ればいいよ」と笑いかける。

コンビニ帰りに病院の食堂もチェックして、「ここでだったらこっそり面会できるんじゃない？」とここそこ相談しながら病室へ戻り、別れる。

病院を出るとすっかり風は冷たく、冬の気配が濃くなっていた。

まだこの選択で合っているのか信じられずにいる。抗がん剤を始めていいのだろうか？

体の細胞を全部攻撃するようなものを点滴するなんて、大丈夫なのだろうか？

もうみずきに会えなかったらどうしよう。

正直とても怖い。

明後日からみずきの抗がん剤治療が始まる。

みずきはまず、CVポートの埋め込み手術をするらしい。

CVポートとは、正確には皮下埋め込み型ポートと言われるもので、鎖骨の下あたりにペットボトルの蓋くらいの直径のデバイスを埋め込む。

ポートから心臓近くの太い血管までカテーテルが伸びているらしい。

みずきが受けるフォルフィリノックス療法は3日間かけて抗がん剤を点滴投与するが、CVポートがあることで自宅で投与でき、通院での治療が可能になる。

ただ、そうはいっても体に器具を埋め込むなんて大丈夫なのか？　それは目立たないものなのか？　危なくないのか？　など主治医の先生にたくさんの質問をぶつけたが、小手術で簡単に留置でき、治療が終わりを迎えれば除去もできるらしい。

当然治療中は連絡できないため事後報告だったが、そのCVポートを埋め込む手術を、全身麻酔ではなく局所麻酔で行ったらしい。全身麻酔だと夕食が食べられないから、というのがその理由だ。

がん発覚以降ずっと彼女の前向きさに救われている。

入院の翌日にみずきから「オランダでフェルメール展をやるみたい!!」とすごいテンションのLINEが届く。来年の2月から6月までアムステルダム国立美術館で、史上最大規模のフェルメール展が開催されるらしい。

みずきががんになってから、「何かやりたいことってない？　なんでも叶えるよ」と聞いたことがあった。そのときにみずきは「もし叶うなら、フェルメールの『牛乳を注ぐ女』を見たい」と言っていた。

高校生の頃、美術の資料集で見たその美しさに魅了され、「死ぬまでに一度は見てみたい」とずっと思っていたそうだ。

〝死ぬまでに〟はずっとずっと未来の話だったし、オランダに行くというハードルの高さから「いつか行ければいいや」と後回しにしていた。

しかし、余命宣告を受けたことで「行けるうちに行きたい」に変わったらしい。

そんな話をしていた矢先に、史上最大規模のフェルメール展が開催されるというのだ。

これを逃すわけにはいかない。

みずきを絶対にオランダへ連れて行く。僕に今できることはこれだ。

入院3日目の朝、みずきからＬＩＮＥで抗がん剤治療が始まったと連絡が入る。

ガッツポーズの自撮りで笑顔の写真が送られてくる。

みずきが受けるフォルフィリノックス療法はＣＶポートに針を刺し、点滴で抗がん剤を投与する。

まずは吐き気を抑える薬を30分投与。次にオキサリプラチンという薬を2時間かけて投与。次にイリノテカンをまた2時間かけて投与し、残り2日くらいかけてフルオロウラシルという薬を投与する。

僕はといえば、フォースオピニオンを受けるためひとり名古屋へ飛んだ。また、みずきの母が北海道で別の病院のサードオピニオンへ行ってくれている。

しばらくはオピニオン祭りだ。

雲の上は当然のように晴れていて、窓から見える景色は現実感がない。

今まさにみずきは抗がん剤治療をしているというのに自分はぼんやりと空の上にいる。

みずきのそばにいられないこと、抗がん剤を信じるほかには選択できる道がなかったことに強烈な無力感を覚え、開いているPCに焦点が合わない。

こうしてPCを開いてキーボードを叩いているのも治療費を集めるためだし、自分は自分にできることをしているつもりだ。

だが、それがどうしたというのだ。

僕にはみずきを救えない。

どんなに強く手を握りしめても、生命力はするすると指の間からこぼれ落ち、握る手はどんどん細くなっていく。

上空で電波がないためみずきとやりとりもできず、体調すらわからなかった。

飛行機を降りてみずきに連絡してみると、2つ目のイリノテカンの投与が始まっていた。みずきは相変わらず明るいが、抗がん剤の副作用が出始めているようだ。

名古屋に着き電車を待っている合間、スマホで預金残高をチェックした。この頃、暇さえあれば各銀行の残高をチェックし、あとどれだけお金が必要か考えるのが癖になっている。預金残高はしっかり把握しているのだが、なんだかおかしい。数日前にチェックしたときより、100万円も多いのだ。特に仕事などで大きな入金予定はなかった。

振り込み元を見ると友人Sの名前があった。Sは学生時代の友人で、「今回のことを知りお見舞い送りたいから口座教えてくれる？」と数日前に連絡があった。

慌てて電話して、「すごい金額振り込まれてるんだけど、どういうこと？」と確認すると、「僕にできることを考えていたけどこんなことしかなかった。僕が持ってたって意味がないお金だからみずきさんのために使ってくれ」と平然と言い放った。

Sは普通のサラリーマンで、決して高給取りではない。奨学金の返済もしていて、僕と同じ35歳だ。人生の大切な時期であるこの年代に、大切に貯めてきた100万円を友人の彼女のためにポンと送金するとは……。

しばらく言葉が出なかった。

Sには丁重にお礼を言い、少しだけ頂戴して残りは返金すると伝えた。

もちろん100万円は喉から手が出るほど欲しいが、他人の生活を侵食するわけにはいかない。Sには Sの人生がある。

ただ、みずきにはこんなにもたくさんの味方がいる。

みずきの家族、友人、僕の家族、仕事で出会った人々、そしてYouTubeを通してみずきを知ってくれたたくさんの人々。

きっと大丈夫だ。

こんなに多くの人が応援してくれているのに、悪いほうへ転がるわけがない。

返金はしたが、Sからもらった大きな優しさは、この後ずっと僕を支えてくれた。


名古屋では、フォースオピニオンとして手術についてもう一度意見を聞いた。

その先生はすい臓がんの手術では有名で、YouTubeのコメント欄でも名古屋でのセカンドオピニオンを勧める声は多かった。今までどの病院でも手術不可と言われてきたが、その先生にしかできない術式があったりして、「手術しましょう」となる可能性もゼロではないはずだ。

診察室に入るといかにも重鎮という雰囲気の先生が座っていた。みずきのことはYouTubeを見て知ってくれているらしい。

なんとかしてあげたいがと前置きし、今までの先生と同じ説明を始めた。

現状手術はできない。抗がん剤による延命治療のほかないだろう。

ＣＴ画像を見せながら、

「この部分に大きな血管があるのだけど、そこをがんが巻き込んでしまっている。残念だけどこれでは誰でも手術はできない」

かすかに抱いていた希望を粉々に打ち砕かれ、涙が流れる。

かすかな希望、と思っていたが、流れる涙の量からすれば大きく希望を抱いていたようだ。

先生は僕の様子を見て、「万が一抗がん剤がよく効いて血管からがんが離れるということがあれば手術できるから、そのときはまたおいで」と温かみのある声で言った。

昨日みずきの母が行ってくれたサードオピニオンでも結果は同じだった。

そちらでは放射線治療の可能性について聞いてもらっていたのだが、現状意味がないそうだ。

どれだけ駆け回っても暗闇から出ることはできず、みずきの抗がん剤治療は続いていく。

名古屋から帰った次の日が、新しい家への入居日だった。

不動産屋さんから鍵を受け取り、がらんとしたピカピカの部屋にひとり入居する。

白を基調とした室内にカーテンのない窓から、午前中の光が降り注いでいる。

ここで、みずきは闘病生活を送るのだ。

入居するとすぐに続々と家具や家電が運ばれてきた。

家の中の大きなものから小さなものまで、ほぼ全てみずきが選んだ。ネットを見たり、PET検査から入院までの間にニトリに通ったり、入院後は僕がニトリで写真を撮ってきて見せたりして選んでもらった。ひとつひとつかなり悩んで決めていた。

アパートの家賃はそんなに高くないものを選んだが、家具などは今までを思えば、かなり自由にみずきの好きなものを選んだ。

みずきはここで過ごす時間が圧倒的に長くなる。

この先どうなるのだろう。

どんどん動けなくなるのだろうか？　歩けなくなるのだろうか？

出かけたりはできなくなるのだろうか？

もしこの部屋がみずきの世界になってしまうなら、できる限り彼女の好きなもので溢れさせよう。おしゃれな家具、大きいテレビ、みずきの好きなドライフラワーをたくさん飾って、花瓶には綺麗な花を生けよう。

みずきは今日、抜針した（点滴の針をポートから抜いた）らしい。

体調についてはあまり伝えてこない。大丈夫だろうか。

家具をひとり、黙々と組み立てる。

みずきが帰ってきて喜ぶ姿を想像すると、しんとした広い部屋も温かく感じた。

11月の終わりに雪が積もる。

初雪だ。名古屋生まれの僕にはやっぱり雪は嬉しい。

まだ雪かきするほどではないが、早めに雪かきのセットも買っておかねば。

みずきはほぼベッドで過ごしているようだが、意外にも吐いたりはしていない。ご飯も一応食べられていて、血液検査の結果なども問題ない。

とりあえず抗がん剤を続けていくことはできそうと主治医の先生も言ってくれている。

僕とみずきの母はあれこれ自由診療を調べては検討し話し合っているが、なかなかこれというものは見つからない。

雪が溶ける頃にどうなっているのか想像もつかない。


12月に入ったある朝、起きると1通のメールが届いていた。

僕がある会社にした問い合わせについての返信だった。

YouTubeにがんの発表動画を上げた頃と時期を同じくして、新しいすい臓がんの薬が治験で好結果を得たとのニュースが話題になっていた。

コメントでも「治験を受けてはどうか？」という意見がものすごい数届いていたので、その会社に問い合わせをしてあった。

結果としては「みずきに治験はお勧めできない」とのことだった。

まず現段階では治験を受けるためには米国で3カ月生活しなくてはいけないこと、また現段階の治験ではプラシーボ効果（有効成分を持たない偽薬から、同様の症状改善などを得る効果で、原因はわかっていない）を確認するため新薬を投与するグループと投与しないグループがあり、新薬を投与しないグループに割り当てられてしまった場合、慣れない土地で生活して普通の治療を受けることになってしまう。

YouTubeでサニジャニの動画を見た株主や投資家の方からも「なんとかできないのか？」との連絡をいくつももらっているものの、現状何もできない。

受け取ったメールには、そんな内容が丁寧に記されていた。

恥を忍んでお金をどれだけ出しても新薬を投与してもらうことはできないか？　とも聞いてみたが、当然ルール上も、倫理上もできないとのことだった。

僕たちの知らないところで、知らない人がみずきを気にしていろいろ考えてくれている。

それでもみずきのがんは現状治すことができない。

みずきが発熱した。

LINEで状況を聞くと、早朝から38・9度。解熱剤を飲んで少し楽になったらしい。

PCR検査の検査は陰性だったが、39・6度まで上がる。その後、解熱剤で38・6度まで下がる。翌朝37度まで下がる。

いろいろ調べたが血液検査の結果も異常ないので、免疫低下からくる感染症ではなく、ポートの炎症でもなく、はっきりとは理由がわからなかった。

ただ可能性として、抗がん剤がよく効き、がん細胞が大きく崩壊したときに高熱が出ることがあるらしい。

初めて聞く前向きな話だった。どうかそうでありますように。


ようやくみずきの退院日がやってきた。2週間ぶりにみずきに会える。

朝早くから目が覚め、仕事や家の片付けをし、寝室にストーブを入れ、花を買ってきて花瓶に生け、みずきが快適に過ごせるようあれこれ準備する。

みずきは今日フォルフィリノックスの2クール目で、朝から抗がん剤を投与している。

以前と同じように2種類の薬を4時間ほどで入れ、最後の薬をポートに挿して、薬剤の入ったボトル（みずきはフォルフィーと呼んでいる）を肩からぶら下げて帰り、自宅で2日間かけて投与する。

夕方みずきを迎えに行くと、意外に元気そうな顔でベッドに座っていた。

看護師さんにお礼を言い、2週間分の大荷物を持って病院を出る。

抗がん剤の副作用で手足が痺れているのだが、冷たいものに触れると余計に痺れが強くなってしまうらしい。

思っていたよりずっと元気で、ふたりでスーパーへ買い出しに行き、新居へ。

家に入るとみずきは「おしゃれー、嬉しー!!」ととても喜び、大奮発して買ったソファにゴロンと横になり満足そうにしている。

みずきの母と3人で夕食を食べ、退院1日目は温かくのんびりと過ごせた。

ベッドに入り寝る準備をするとみずきはスッと眠ってしまった。

寝顔を見ながらしばらくぶりに心から幸せな気持ちになり、こんな風に元気な状態が続くといいなと思っているうちに、僕も眠りに落ちていた。

抗がん剤2クール目の2日目。

抗がん剤といえば、髪は全て抜け落ち、吐きまくり、げっそりと痩せていく……そんなイメージだったのだが、みずきは意外にも元気だ。

朝ご飯にコーンスープと栄養食品の『メイバランス』。

昼ご飯はグルテンフリーのうどん（糖質はがんの餌というコメントが多く、びびっている）を食べ、夕方にニトリとスーパーへ行き、夕ご飯はソーセージ入りのラタトゥユと玄米ご飯。

これまた大奮発で買った大きなテレビで『ハリー・ポッター』をふたりで見ているうちに、みずきは疲れたのか寝落ちしていった。

もちろん元気全開かといえばそんなことはないが、入院明けと思えば十分元気だ。

こんな感じであまり辛くなく続けられるなら、抗がん剤も悪くないかもしれない。

抗がん剤2クール目の3日目。

自宅で初めて抜針する。

みずきがぶら下げているボトル（愛称フォルフィー）からチューブが伸びて、透明な接続部分があり、その先からさらにチューブが伸びてポートへと刺さっている。

ポートの周りのチューブを固定するテープを慎重に剥がす。

そしてチューブの途中のクランプと呼ばれるプラスチックの器具をカチッと押し込む。するとチューブが圧迫され点滴が止まる仕組みだ。

クランプを押し、透明の接続部分からフォルフィーへ伸びている管を外し、注射器と交換する。再びクランプを押し、注射器で生理食塩水を流し込む。

自分でポートから生理食塩水を流し込むのには驚いた。みずき曰く、注射器を押していくと、血管に直接流し込んでいるはずなのに生理食塩水の匂いがするらしい。

その後クランプを押し込み、注射器を抜いて、ポートから針を抜いてポートを消毒して絆創膏《ばんそうこう》を貼って終了だ。

病院であれば看護師さんにやってもらうような作業を自分でやるのだからすごい。

抜針後も「少しムカムカする」と言うもののそれなりに元気で、漫画を読んだり、テレビを見たり楽しく過ごしていた。

夜はみずきの母が来て、夕ご飯を作ってくれた。グラタンと、たらこと豆のサラダ。みずきは嬉しそうに食べ、満足するとすぐ眠った。

この頃みずきは子どものようだ。

抗がん剤投与後、1週間くらいかけて体調が回復していくという話だったが、実際、辛くなったり元気になったりを繰り返しながら、1週間後にはだいぶ元気になっていた。抗がん剤が効いているのか、ステントを入れて黄疸が治まったからなのか、以前より元気になった気がする。

このまま回復して、がんがなくなるなんてことはないのだろうか。

12月13日、ABEMAの番組『ABEMAPrime #アベプラ』にオンラインで生出演する。『#アベプラ』とはABEMAで放送しているさまざまな社会問題をゲストと共に議論していくニュース番組だ。

みずきは抗がん剤の副作用が続いていたため僕ひとりで出る。

「クラファンや投げ銭で多様化する寄付の形」をテーマに、今の時代だからこそのやり方で闘病を発信する僕たちに焦点を当てて、これからの時代の寄付のあり方について議論したいとのことだった。

この頃も僕らのクラファン→OFUSEという流れをよく理解していない人、理解していても納得がいかない人などがネットで騒ぎ、次々ネットニュースが出て軽い炎上と呼べるくらいの騒ぎになっていた。

だからこそ、そこを払拭してくれる内容なら出たいなと話を聞いてみたところ、事前にいろいろ打ち合わせをしてくれて、番組の流れとしては僕たちに好意的な構成になっているとのことだった。

番組は二部構成で僕の前にヴィーガンの活動をしている人が出演し、その活動のあり方について白熱した議論が展開されていた。

というかヴィーガンの人がめちゃくちゃ叩かれる展開になっていて、ヴィーガンの人も一歩も引かずに、議論にすらなっていない泥試合のようだった。

予定時間を大きく押しても全く議論が収拾せず、これは僕の出番はなくなるんじゃないかと思っていたところ、司会者の方が強引にそのコーナーを終わらせ、僕の番になった。

僕も叩かれるんじゃないかと戦々恐々で僕らの説明VTRを見ていたが、蓋を開けてみるとスタジオの空気がガラッと変わっていた。

スタジオゲストの方々もみんな温かい意見をくれて、MCのロンブー淳《あつし》さんは「こうへいさんたちは、困っていたら助けてと言っていいという文化を切り開いていってくれている」と全面的に僕たちを後押しする意見を言ってくれた。

実はこれまでも結構な数のインフルエンサーの人が連絡をくれたり、自分のメディアで擁護してくれたりしている。

僕たちは間違っていない。

そんな思いが強くなった番組出演だった。

退院から9日後、初めてみずきとお出かけした。

行き先は入院前から行きたがっていた「ミュンヘン・クリスマス市」という札幌のイベントだ。

札幌市はドイツのミュンヘン市と姉妹都市らしく、その関係で毎年開催されていて、みずきは昔から何度も訪れているおなじみのイベントらしい。

快晴なぶん気温は低く、マイナス0・5度だった。冷えが心配ではあったが、主治医の先生も元気なときは外出したほうがいいと言っていたし、ずっと家の中にいるよりは健康的だろう。

会場の大通《おおどおり》公園に着くと数々のドイツっぽい出店や、そうでもない出店がたくさん出ていて、寒さも吹き飛ぶほど華やかな雰囲気で賑わっていた。

おいしそうな食べ物におおはしゃぎのみずき。

まず何を食べようかと散策していると、アイスバインを発見。ハーブなどで豚すね肉を煮込んだドイツの料理だ。

アイスバインを食べ、モッツァレラパイ、クラムチャウダー、チェダーチーズポテト、ソーセージを次々に平らげ、ドイツで買い付けたというシュトーレンをクリスマス用にと購入した。退院後ここまですぐに元気になれるとは思っていなかったので、スキップでも始めそうなほどご機嫌なみずきを見て、とても幸せだった。

もしかしたらがんはとても小さくなっていて、すでに治り始めているのでは？抗がん剤治療を始める前と今とだと、大きく体調が改善しているように感じる。動画も撮っているのでぜひ見てほしい。明らかに、元気だ。

その数日後、ウェディングフォトを撮りに行くことになった。

こういうイベントは普通、結構前から計画しておくものなのだろうが、つい2日前に思いついた。というのも、抗がん剤の副作用による脱毛が進んできたためだ。

入浴後、髪を乾かしている際に一番抜けるらしく、しゃがみ込んで抜けた毛を黙って集めている。

YouTubeの案件でもらったロボット掃除機（愛称シロタくん）が毎日床を掃除してくれているので、そんなに必死に髪の毛を集めなくても次の日には綺麗になる。

「明日の朝シロタくんが掃除してくれるから大丈夫だよ」と声をかけるが返事をせず無言で髪を集めている。

抗がん剤で脱毛するだろうということはわかっていたし、脱毛前にAmazonでおしゃれな医療帽子をたくさん買ったり、ウィッグを作りに行ったりして準備はしてあった。「髪はまた生えるし、命に比べれば全然安いもんだよ」と脱毛は気にしていない発言をしていたが、毎日自分の抜けた髪を集める表情は険しい。

そこで脱毛がこれ以上進む前に、急遽ウェディングフォトを撮ることにした。昼間ソファで話しているときに自然とその話になり、ふたりとも絶対に今撮るべきだとなって、すぐあちこち電話して予約を取った。

僕は髪の毛のセットというのが絶望的に下手で、眉毛も自分で整えるのは苦手だ。そこで、まずみずきを写真館に送ってヘアメイクをしてもらっている間に、僕も美容院で髪のセットと眉毛をやってもらった。

しかし、仕上がった髪型は「これで正解なのか？」という昭和感漂うスタイルになり、眉毛はヤンキーのような激薄で、若干の絶望を抱えつつ写真館に戻った。

みずきはヘアセットをしてもらっている最中で、ヘアメイクさんと楽しそうに談笑していたが、僕の眉毛を見て爆笑だった。(見かねたヘアメイクさんが眉毛を書いてくれた)

ヘアセットが終わり、ウェディングドレスに着替える。

気を利かせたメイクさんがもうひとりスタッフを連れてきて、控室のカーテンをふたりで引いてみずきを登場させてくれた。

カーテンから現れるみずきは髪を巻いてアップにしてもらい、白のドレスに身を包んでいた。「綺麗だよ」と伝えると横を向き、「見て、ピアスがかわいいの」と白い花びらのようなピアスを見せてくれた。

ドライフラワーのブーケも気に入っているようで、すごく嬉しそうに、幸せそうに微笑んでいた。

YouTubeで散々動画を撮ってきた僕たちだが、プロのカメラマンさんに撮ってもらった経験は少なく、少し恥ずかしさを覚えながら、それでも楽しい雰囲気で撮影は続いた。

カメラマンさんが楽しく話しかけながら撮ってくれるので、自然な笑顔で、まるで幸せの絶頂にいるかのような写真をたくさん撮ってもらえた。

確かにみずきの病気は難しい状況なのだが、明るく笑う彼女を見ていると幸せの絶頂も〝まるで〟ではないような気がする。

写真の中のふたりは、この先辛いことなど起きず、幸せな未来が約束されているかのようだ。この写真が切り取った〝今〟が永遠に続きますように。

12月の朝は冷え込みが厳しく、起きるとまずストーブを点《つ》けるのが日課になっている。

みずきが起きるまでに雪かきをして、ＰＣに向かい一仕事し、朝食用ににんじんジュースを作る。

にんじんジュースを毎日飲むとがんに効くと聞き、これも習慣として続けていた。いろいろ試してわかったのは柑橘《かんきつ》類とキウイを入れると抜群に飲みやすくなることだ。

ふたりでジュースを飲んで、書類を書き、区役所へ向かった。

今日は婚姻届を出しに行く。

実は婚姻届を出しに行く日については一悶着《ひともんちゃく》あった。

僕は一刻も早く出したかったのだが、みずきとしては「クリスマスと日にちが近くなってしまうと、お祝いがひとまとめになるからダメだ」と主張していた。

「絶対に別々にお祝いするから籍を入れに行こう」と説得してOKしてもらった。

僕たちの結婚の約束は「クリスマスと結婚記念日を別々にお祝いする」だ。

毎年しっかりお祝いするから、何十回と重ねていけるように生きてくれ――。

区役所へ着くと、窓口で書類を出した。

このときまで知らなかったのだが夫婦になる際、本籍地を決められるらしい。しかも日本国内なら住んだことがなくてもどこでもいいんだとか。

窓口で話すお姉さんは「皇居の中でもいいですよ」と、明るく軽口を叩く。

どこでもいいなら僕たちが出会った西表島にしてしまおうか？　という案も出たのだが、戸籍謄本を取るのは本籍地でないとできないそうなので、利便性を考えてみずきの祖父母の家がある地を本籍地とした。

書類を書いてしばらく待っていると、受理され、証明書のような紙をもらった。

「おめでとうございます」と、区役所の方に言われ、実感はないがこれで夫婦となったらしい。

空は今日もスカッと晴れていて、「結婚日和だね」と笑い合って帰り、その晩はみずきのリクエストで煮込みハンバーグを作った。

この頃、症状が落ち着いているからか、毎日が幸せだ。

何十年先までもずっと夫婦でいられる気がする。

12月21日、みずきの叔母が関東から札幌に来て、僕の義母となったみずきの母も家に招いて4人で早めのクリスマスパーティをする。

24日のクリスマス・イヴは抗がん剤の3クール目が始まっているので、早めにしてしまおうとなった。

正直ふたりでパーティしたい気持ちも少しはあるが、今の状況が状況だ。親族の気持ちも大事だし、何よりみずきが一番喜ぶ過ごし方をしていきたい。僕がどうしたいかは、どうでもいい。

みずきの希望でクリスマスツリーは少し大きめのものを買う。

テーブルいっぱいにお義母さんと叔母さんが作ってくれたご馳走が並ぶ。

僕も主夫的な面があるとはいえ、主婦歴では歴然の差があるふたりの料理はおいしく、外は雪だがとても温かいクリスマスパーティだった。

12月23日、みずきの治療方針について動画を出す。

結論が出るまで本当にさまざまな人に話を聞き、悩みに悩んだ。

がん治療では「標準治療を信じる派」と「抗がん剤は悪で自力でがんを治す派」の大きな派閥争いがある。

抗がん剤は国の陰謀で、一部の利権のためにがん患者の命が犠牲になっていると、信じている人もたくさんいる。

ただ、僕もそういう人々の気持ちはわかるし、そちらに気持ちが揺れたことが何度もあった。

民間治療、自由診療の情報は、「これをやればがんが治る」「ステージ4から生還した」「医者が見捨てた患者が治った」など奇跡の話がたくさん語られる。

医者に絶望を突きつけられている状況では、そうした言葉は甘く、すぐにでも飛びつきたくなるほど魅力的だ。

抗がん剤治療をしなくても、辛い手術をしなくても、サプリを飲むだけで、点滴をするだけでがんが治り、副作用もないという話は山ほどある。

しかし、やはり現場の先生を見て、懸命に働く医療従事者の人々の話を聞いていると、彼らが闘病者から搾取しているとは思えない。

みんな、命と向き合い必死だ。

奇跡的に治ったという話もコメントで聞くし、やはり基本は標準治療の抗がん剤を信じてやっていくつもりだ。

もしも抗がん剤がすごく効いて、がんが小さくなって転移先のがんが消えるようなことがあれば、手術ができる可能性も絶対にあり得ないというわけではないらしい。

この頃のみずきを見ていると抗がん剤が効いているようにも見える。

ただ、まだ自由診療を捨てたわけでもない。今まで話を聞いたものはやはり根拠に乏しくてだめそうだが、超音波治療でみずきも受けられそうな治療がある。

今度その先生の話を聞きに、東京へ行くつもりだ。

また、大量に本が出ている民間治療も調べまくった。

がんに効果のある野菜スープや、にんじんジュース、アマニオイルなどとりあえず簡単にできて体に良く、QOL（クォリティ・オブ・ライフ。「生活の質」の意）を下げないものはやっていこうと話している。

普通にしていれば治らないと言われているのだから、普通にしているつもりは、ない。

年の瀬も押し迫ったある日、みずきが「なんだか出かけられそうな気がする」とベッドから起き上がってくる。

抗がん剤の副作用は人それぞれらしいが、みずきの場合、今までの3回は面白いようにパターンが決まっていた。

投与から1週間はきっかり副作用で調子が悪く（みずきは干物ウィークと呼んでいる）、次の1週間はがん患者とは思えないほど元気いっぱいに過ごす（元気ウィーク）。

だが、今日はまだ抗がん剤投与から6日目だ。

みずきが元気だと僕も元気になる。これからどれだけ抗がん剤が続くのかわからないので、みずきが元気に過ごせる日が1日でも多いと、とても嬉しい。

みずきのリクエストで、蕎麦を食べに行く。

数日前からスマホで食べ物の動画（主に大食い動画）を見まくり、「元気ウィークになったら絶対に蕎麦を食べに行く」と心に決めていたそうだ。

体調が万全というわけではなさそうだがフラフラと出かける準備をし、近所の蕎麦屋さんへ。

人気店らしく平日だというのに賑わっている。

みずきは「天ざる蕎麦ください」と力強く注文している。

まさかの天ぷら。

全部は食べきれなかったがおいしいおいしいと食べる姿は幸せそうだ。みずきが幸せになれるのならなんでも食べさせてあげたい。

12月31日、年越しはお義母さんを家に招いて3人で過ごした。

家のソファで3人で紅白を見た。テレビに出ている歌手について、僕たちよりずっと詳しいお義母さんの話を聞きながら、お義母さんが作ってくれたトマト鍋をつつく。

ソーセージや野菜がたっぷり入ってぐつぐつと煮えたつトマトスープの真ん中には、溶け始めたカマンベールチーズが丸々1個入っていて食欲をそそる。

人に作ってもらうご飯はうまい。

『ゆく年くる年』の除夜の鐘の音を聞くと、子どもの頃テレビをつけたり消したりして鐘の音が本物か、テレビから聞こえてくるのか、耳に手を当て確かめていたのを思い出す。

あの頃から遠く遠く旅してきて、今は日本の最北に近い街で、みずきの看病をしている。

ほんの3カ月前には、「今年の冬はどこで過ごそうか?」「あえてドカ雪の降る地域に行って車中泊するのも楽しいね」と話し笑っていた。

来年も、再来年もふたりで「次はどこに行こうか?」と話しながら、鍋をつついていられますように。

テレビを消してもお寺が近くにないのか、雪が音を吸い込むからなのか、除夜の鐘は聞こえなかった。

みずきさんから見てどうでした？

干物ウィーク／元気ウィークの落差

もともとは周囲にがんの方は多くなかったし、話題にしたこともないくらいで、そんながん闘病というものが全然わからない中でも、病が進んで苦しくなってからのイメージっていうのは、当たり前のようにありました。

でも旅の中で、屋久島でがんの方と出会って、その方がすごくエネルギーのあるハイパー明るい方だったんですね。あとから「え、がんだって言ってたよね？」って思ったくらい。こういう方もいるんだっていうことを、私自身が知っていたことは大事だったかなあと思います。

「干物ウィーク」のときには、もう本当に寝てるだけしかできなくて、どんどんベッドに体が埋まっていくイメージ。こんなに元気がないことは今までになくて。最低限しか喋りたくないし、お水も飲みたくないし……っていう。

でも「元気ウィーク」になると、大きな声で歌も歌えるし（笑）、筋力は落ちてるけど体も動かせるし。別に元気なフリをしてるわけじゃなくて、普通に元気だったので、あの落差はすごかったと思います。

「私、この人たちのために生き続けないとだめだ！」

その頃、こうちゃんと母は、いろんな治療の可能性を模索してくれていて、それは本当にありがたかったです。動画へのコメントやＤＭでもたくさん情報をいただいて、その中に新しいワードがあればこうちゃんがそれを調べてくれて。その善し悪しも、私じゃ全然判断できないので。

こうちゃんや母が知り合いの医師の方に相談してくれたりしているのを見て、最初に宣告を受けたときは「私、今死んでも幸せだな」っていうマインドだったんですけど、「私、この人たちのために生き続けないとだめだ！」ってなったんです。

こんなに自分が生きることを望んでくれる人がそばにいる。じゃあ自分はこの人たちのために生き延びなきゃいけないって、強く気持ちが変わった気がします。宣告されたときは本当に自分本位だったなあって、そうじゃいけないなって思いました。

ただ、結婚は……婚約はしていたけれどもこういうことになってしまったので、婚姻届を出すことは考え直したほうがいいんじゃないか、病状が落ち着いてからでもいいんじゃないかって私のほうから話していて。母も同じ意見だったんですけど、でもこうちゃんは「みずきと夫婦でいる時間が欲しい。俺のために結婚してほしい」って言ってくれたので、それをこうちゃんが幸せだと思ってくれるのであればと考えて、結婚しました。

第6章　見え始めた光

年が明けた1月4日、がん発表の後、初めてYouTubeのライブ配信をする。

ライブ配信はYouTubeの機能のひとつで、リアルタイム配信を行い、視聴者がチャットでいろいろコメントをくれるので、そのコメントにリアクションしていくことができる。

先日YouTubeから銀の盾が届いたので、今回はその開封ライブだ。YouTubeでは登録者数が10万人を突破すると銀の盾というアワードが贈られる。視聴者の方々に感謝の気持ちを込めて、ライブ配信で銀の盾を開封するYouTuberは多い。

僕たちの場合、がんの発表動画2つがバズって、3万人だった登録者が瞬く間に10万人を突破し、あまり実感のないまま銀の盾が送られてきた。それもいつも応援してくださる方々のおかげなので、一度ファンのみなさんにお礼を言おうとライブ配信を決めた。

正直怖さもあった。〝詐病《さびょう》でお金を集めている〟と思っている人がいるのだ。詐病と思われるのは心外なので、これまでさまざまな方法で病気を証明しようと試みた。だが、これは盲点だったのだが、自分ががんだとネット上で証明するのはとても難しい。まずリアルであれば診断書を取ってきて見せれば済むだろう。職場などには実際に提出する人も多いはずだ。

診断書というのは当人の個人情報と医師のサイン、病院の押印があって初めて意味を成す。だが、それをそのままネットに上げるわけにはいかない。

病院側に迷惑がかかるので、病院名は伏せなければならない。もちろん住所などの個人情報も明かせない。

みずきが「それでも出せるものは……」と言うので個人情報などを伏せた形で公開してみた。が、案の定「偽造だ」「偽造にしてもクオリティが酷すぎる」とものすごく叩かれた。確かに、診断書に書かれている内容は、

すい頭部癌（腺房細胞癌）stage Ⅳ
上記に対し、2022/11/24より化学療法を施行しています

というものすごく簡素な内容だ。

だけどクオリティが酷すぎると言われても困る。

もらったものをそのまま出しただけだ。一体、どうすればいいのだ。

普段は悪意のあるコメントがついてもすぐブロックするようにし、みずきの目につかないようにしている。

しかし、ライブ配信ではそれが不可能だ。大量のアンチが流れ込んできて、詐欺だ詐欺だとコメントするのではないだろうか？　その危惧は的中してしまった。

ファンの方に向けた「銀の盾を一緒に開封して喜びましょう」というライブ配信だったにもかかわらず、「病気を証明しろ」「嘘をつくな」「詐欺師」と無視できないほどの多くのコメントがついた。

なぜこんな無駄なことにエネルギーを費やすのだろう。本当に詐欺なら、顔を出しているわけだから、あっという間に捕まるだろう。

実際テレビに出る際は診断書等がんを証明する書類を見せているし、そのことも公言している。つまり詐欺だと騒ぐ人々は「テレビも嘘をついている」としているのだ。

もうライブ配信はやめよう。

みずきにストレスをかけるわけにはいかない。

1月に入るとすぐに4回目のフォルフィリノックスを受ける。

みずきは今までになく辛そうだった。抗がん剤の副作用というのは積み重なっていくもので、蓄積していき、回を重ねるごとに辛くなるものらしい。

まだたった4回なのに、この調子で大丈夫なのだろうか。

そもそもいつまで抗がん剤を続けるのか全くわからない。先生は「体力の続く限りできるところまでフォルフィリノックスでがんを叩きたい」と言っている。

体力の続く限りとは？

毛が抜け落ち、手足の痺れが痛みに変わり、げっそりとやせ細るまでだろうか？

先が見えない。ベッドで辛そうにしているみずきを見て、何もできずただ手を握る。


注文していたウィッグが完成したので、受け取りに行く。

みずきの髪はよく見れば「だいぶ髪が薄い人だな」くらいには抜けてしまっている。

本人は気にしていない風だが、相変わらず抜けた髪の毛を掃除する姿は悲しく見える。

完全に抜け切る前にウィッグができてよかった。医療用ウィッグだったので驚くほど高く、20万円ほどだ。ただ高いだけあって生え際なども良くできていて、言われなければウィッグだとは気づかない。

みずきに実際に被せ、要望を聞きながら毛の長さや前髪、外はねか内はねかなどを調整してくれた。

みずきはがんがわかってからやりたいことリストを作っている。

自分の命に期限があるかもしれないと感じ、後回しにせずやりたいことはどんどんやっていこうと思ってリスト化してみたらしい。

僕もリストを見せてもらったが、そのほとんどは、「『ハリー・ポッター』の映画を全話見直す」「おいしいチョコを食べる」「ディズニーで『美女と野獣』のエリアに行く」などすぐにでも叶えられる小さなことだった。

その中でも大きな夢としては、

「オランダでフェルメールの『牛乳を注ぐ女』を見る」

「日本一周を再開する」

といったなかなか実現までは遠そうなものもあるが、全ての夢を叶えてあげたい。僕に病気は治せないが、夢を叶えてあげることはできる。

そう思いながら、ふたりでリストに書き出したことを次々叶えてきたが、視聴者のみなさんにも共有しようと動画を撮って公開した。

ファンの方々もすごく共感してくれて、みずきの夢はみんなの夢になった。

これでいよいよ後には引けない、絶対にオランダへ行こう。

1月19日、人生でこんなに緊張した日はないかもしれない。

今日は抗がん剤後初のCT評価の日だ。CTを撮って、抗がん剤がどれくらい効いているのか？　がんが大きくなってはいないか？　をチェックする。

朝早くにふたりで病院へ行き、まずCTを撮影する。

その後お義母さんも合流し、3人で待合室で雑談する。少しでも気を紛らわすためあれこれ話題を探すが、CTの結果が気になりそれどころではなかった。

僕は会話で気を紛らわすのを諦め、スマホで本を読み始める。

みずきはお義母さんと何やら楽しそうに話し続けている。

まだ名前は呼ばれない。

遅くないだろうか？

CTの評価が難航しているとか？

先生が次の治療法を考えているとか？

ものすごくがんが進行してしまっていた場合、フォルフィリノックスをやめることもあり得ると、前回の診断の際に先生は言っていた。

だがフォルフィリノックスをやめてどうなる？

すいがんで使える抗がん剤の中で、すごく強い抗がん剤治療がフォルフィリノックスだ。

それより弱い抗がん剤をして効くのか？

それとも、治すということ自体を諦めるという可能性の話なのか？

本を読んでいるものの、目は画面の上を滑り、何度も同じ文章をなぞる。

何度なぞっても文章は頭に入らず、悪い想像だけが切れ切れに浮かんでは消える。

「あ、次みずきの番だよ」

お義母さんがモニターを見て言った。

さすがにふたりも会話がなくなり、緊張感が伝わってくる。

診察室までの廊下の途中、みずきの手を握る自分の手が汗ばんでいるのに気づいた。

せめてがんが大きくなっているということだけはありませんように。

いや、そんなはずはない、みずきはこの頃元気だ。

効いているはずだ。

診察室のドアを開け、挨拶をして座ると先生が開口一番「まず気になってるCTの結果ですけど……」とすぐ話し始める。

頼む……。

「めちゃくちゃ効いてるよ、あんまり見ないくらい抗がん剤効いてますよ」

ポカンとする僕たちを見回して「これがCT画像なんだけど」とPCを見せる。

相変わらずCT画像を見ても、何が何やらわからない。

みずきのものかどうかもわからない体の断面図を指差し先生は続ける。

「これが11月に撮ったCTで、ここがすい臓で、この辺りの白いもやもやが、がんだったんだけど、こっちの今日撮ったCTだと白い部分が全然なくなってるのわかる?」

よく見比べてみれば確かに現在のCT画像は黒く影になっている部分が増えていて、内臓の形がくっきりとわかる。

「もう今のCTだと、前情報がなかったら、すい臓がんだってわからないくらい綺麗になってるよ」先生の口調もやや興奮気味だ。

「ここの胆管のところにステントが入っていたんだけど」とCT画像を指差す。最初の入院でものすごく痛くてみずきを苦しめたあのステントのことだ。

「これが胆管の炎症が治まったから脱落しちゃったんだよね」

炎症している胆管を無理やり広げていたステントが、胆管の炎症が治まったために抜け落ちて体外に排出されてしまったというのだ。

確かに過去の画像と比べると、白く写っていた胆管ステントがなくなっている。

「え? うんちと一緒に出てたんですか?」

びっくりしてみずきが言う。

「そうだろうね」と先生も笑う。「こっちは、遠隔転移の鎖骨のリンパのとこだけど」

画像が切り替わった。

「CTで見える大きさのがんはなくなってるね。こんなに効くことは本当になかなかないよ」

これまでの淡々とした話し方とは違って、先生も少し嬉しそうで、みずきがすごくいい状態だということは伝わってきた。

深く息を吐いた。

「よかったー」

声に出ていた。

またもや涙が流れそうだが、この場所で泣いてばかりなので堪える。

「まだ楽観はできないけど、このままフォルフィリノックスが効き続けて、すい臓のがんが消えてくれればもともとがんがあった場所を切除して、根治を目指せるかもしれないです」

先生がそう続けた。

根治……。

延命しかできないと言われて、どこの病院でも同じ絶望を味わってきたが、まさか主治医の先生の口から「根治」という言葉が出るとは。

嬉しくて嬉しくて、ずっとにやけながら話を聞いていた。

診察室を出てすぐ3人でガッツポーズをする。

「よかったね」「よかったね」と口々につぶやく。

本当に嬉しいときは「よかった」しか言葉が見つからない。

みずきはニコニコしているが、なんだか僕やお義母さんほど大きく感動した様子はない。というのも、この頃明らかに体調が良いので、がんが進行しているということはあり得ないと思っていたそうだ。

この日も5クール目のフォルフィリノックスで、抗がん剤を投与し、帰宅する。

体調が良さそうだったので話をすると、「みずきはあんまり緊張してなかったよ」と笑った。

「みずきにとってはこうへいくんと出会えただけで人生勝ちで、残りが短くたって平気なんだ。だから、緊張はしなかった。なんとなく良い結果なのもわかっていたし」

そう微笑むみずきの顔が滲《にじ》んだ。また僕の目から涙が流れていた。

がんが小さくなっていた嬉しさと、それでもまだみずきががんである現実の悲しさと、そんな風に言ってもらえる嬉しさと、いろいろな感情がごちゃ混ぜになって流れた涙だが、悪い気分ではなかった。

みずきは短くてよくても、僕はまだまだみずきにいてほしい。

ふたりで人生を歩んでいきたい。

今日初めて希望が見えた。

絶対にこの希望を掴み取って、がんを思い出にしてやる。

1月23日、僕1人で東京へ行く。

先日のCTの結果を受け、病院巡りもそろそろいったん終えてもよかったのだが、どうしても気になる治療があったのだ。

今回話を聞きに来たのはＨＩＦＵ治療だ。超音波でがん細胞を焼く治療で、放射線と違って被曝しないので何度でも行えるらしい。

ここの病院の先生はＨＩＦＵのゴッドハンドと言われているらしく、すい臓がんにもＨＩＦＵ治療を施している。

診察室に入るとにこやかな先生が待っていて、ほっと安心できる雰囲気だった。

穏やかな声で、事前の資料を見て感じたことを話してくれる。

「ＣＴ画像見せていただきましたが、びっくりしました。すい臓がんでこんなに抗がん剤が効くケースはあまりない。ＨＩＦＵ治療を行うことも可能ですが、私の意見としては今は抗がん剤治療を続けるべきだと思います」

先生によれば、今行っている治療がいい結果を残しているときは無理に他のことをしないほうがいいらしい。ＨＩＦＵでがんを焼けばがん細胞が散ってしまうことも考えられるし、これだけ効いているのなら余計なことをせずに標準治療を続け、手術を目指すべきでしょうとのことだった。

結果的に成果はなかったが、帰り道の足取りは軽かった。

「こんなに効くケースはあまりない」

「このまま手術を目指しましょう」

みずきは確実にいいほうへ向かっている。

ひとりにやけ顔で音楽を聴きながら駅への道を歩いていると、ランダム再生していたAmazon MusicからRADWIMPSの大好きな曲『愛にできることはまだあるかい』が流れてきた。

野田洋次郎の歌声に、地下鉄の階段で涙が溢れる。

みずきの病気を僕が治してあげることはできなくて、お金をどれだけかき集めても、これだという治療法は見つからない。

それでもみずきの強さで少しずつ状況は前に進んできた。

今までも、今現在も大して何もできないで泣いてばかりの僕だけど、僕にできることはまだあるはずだ。


2月からは抗がん剤も6クール目。

今回は今までになく辛そうで、夜に歯も磨けない。

ベッドで顔をしかめ、寝たきりになっている。声は小さく、水すら飲めない。

手の痺れも酷くなり、ガラスのコップで水を飲むときも、ピリピリと痺れるらしい。

これが痛みに変わったらいよいよフォルフィリノックスは続けられない。

せっかくここまで効いている抗がん剤は続けたい。

この頃では新しい治療法を探すより、しっかり効いている標準治療をなんとか継続したい気持ちがふたりとも強くなっている。

みずきの体が、どこまで抗がん剤に耐えられるかという勝負になってくる。

がんばれみずきの体。


ステージ4とわかってからすぐ、先生が「遺伝子パネル検査をやりましょう」と提案してくれていた。

その結果を今日聞きに行く。

遺伝子パネル検査とは、簡単に言えばがん細胞を調べ、みずきの中のがん関連遺伝子の変化を確認するというものだ。

どの遺伝子が変化したかを調べることで、がんの原因を特定でき、患者さんに合った抗がん剤を見つけられるらしい。

運が良ければみずきにあった分子標的薬が見つかり、治療が有利になる。

普通の抗がん剤が、がん細胞以外の普通の細胞もまとめて攻撃し、体に大きなダメージを与えるのに対し、分子標的薬はがん細胞に狙いを定めて攻撃してくれる。

そんなすごい治療法があるならすぐやってくださいとお願いしていたが、実際は遺伝子パネル検査で分子標的薬が見つかる可能性は数%らしい。

また、分子標的薬が見つかったとしても、フォルフィリノックスがこれだけ効いてる今の状況ではわざわざ薬を変えるメリットは少なく、どちらかといえばフォルフィリノックスができなくなったときに、次の選択肢を増やすイメージなんだとか。

先生の冷静な説明で過度な期待はしていないが、フォルフィリノックスの次の選択肢が広がるのは嬉しい。

すい臓がんに使える抗がん剤は種類が少なく、みずきは次の治療の選択肢が少ない。

パネル検査については主治医の先生ではなく、専門の先生から説明があった。

いつもと違う部屋に行き、先生の話を聞く。

「結論から言えば、みずきさんに合った分子標的薬は見つかりませんでした」

BRCAという遺伝子の変異が陽性で、この場合に使える分子標的薬があるのだが、BRCA陽性の中でもみずきは先天的なタイプではなく、後天的にBRCAの遺伝子に変異があったそうだ。その場合、分子標的薬は適用外らしい。

残念だったが、その後主治医の先生から聞いた話によれば、みずきにフォルフィリノックスがとてもよく効いているのは「BRCAが陽性だから」なのだそうだ。

BRCA陽性のすいがんにはフォルフィリノックスがよく効いたという症例があるらしい。

正直よくわからないが、みずきの抗がん剤がよく効いている理由がわかってなんとなく安心した。

きっとこの先もフォルフィリノックスは効いてくれるのだろう。

ある日、朝起きて、いつものように仕事のメールをチェックしているとKさんという方からメールが入っていた。

僕たちの視聴者の方でベルギー在住の方らしく、みずきがフェルメール展に行きたいという発信を見て連絡をくれた。

なんと独自にオランダの国立美術館に僕たちの状況、取材許可などについても確認してくれたらしく、その結果を知らせてくれていた。

結果としてはなかなか厳しい状況らしい。

世界中から問い合わせが殺到していて、チケットもほとんど売れてしまっている。急なゲストに対応できるよう毎日少しずつチケットの枠は取ってあり、その枠を譲ることはできるかもしれないが、日程がわからないとなんとも言えないらしい。

だけどKさんの厚意がありがたかったし、現地の状況に詳しい方とコンタクトを取れたのはとても助かった。

実際フェルメール展がそこまで混雑しているのならば、みずきが見たい絵は常設展示もあるのだから、敢えてその時期に行く必要はないのかもしれない。

Kさんがフェルメール展に行く予定らしいので、現地の状況がわかり次第また連絡をくれるようお願いした。

先生ともオランダ行きが現実的になってきたかもと話しているし、なんとか連れて行ってあげたい。


2月13日、OFUSE返金しますという動画を出した。

アンチは相変わらずあの手この手で僕たちを貶《おとし》めようと必死で、その中で「自分はOFUSEしたのにこんなに酷い対応だった」という、自称〝OFUSEしたのに〟が流行り始めていた。

だけど彼らは、本当にOFUSEをしてくれた人なのだろうか……。OFUSEに添えられたあたたかいメッセージを読めば、万が一僕たちに対して気に入らない部分があったとして、それを「OFUSEしたのに」とネットに書き込むような人はいないように思う。

アンチは僕たちに散々「証明しろ」と求める。こちらに証明を求めるのならば、せめて自分の立場が本当であることを証明してから意見してほしい。そんな思いから出した動画だ。

「最近ネットでOFUSEしたのに……と僕たちの活動に疑問の声を上げる人がいるようで、それは非常に申しわけないと思う。僕たちとしては最初に説明を十分果たしたつもりだったが誤解された方がいるようであれば返金します」

もちろんお金を出してもいないのに「返金しろ」と言う人がいる場合も想定し、ＯＦＵＳＥした際のメッセージをスクショで送ってくださいと窓口を設けた。

結果、１名だけ返金希望があった。

その方は今の活動に納得いっていないわけでは全くないが、ＯＦＵＳＥしたことで〝あげた人〟と〝もらった人〟になってしまい純粋に応援できなくなってしまったので、という理由だった。

その方には十分お礼とお詫びを伝え、しっかり返金対応をさせていただいた。

この動画を公開して僕が思ったことは、自称ＯＦＵＳＥした人は嘘をついていたんじゃないかということだ。

一体何が目的で、そんなことをしてまで人を貶めようとするのだろう。

診　断(証明)書

住　所　[redacted]

氏　名　[redacted]

生年月日　平成2年6月11日 生　（女　）

病　名　膵頭部癌（腺房細胞癌）stage IV

上記に対し2022/11/24より化学療法を施行しています

上記の通り診断(証明)いたします

令和4年12月27日

[redacted]

医師　[redacted]　[redacted]

[redacted]

[redacted]

※実際の診断書画像。個人情報保護のため一部伏せております。

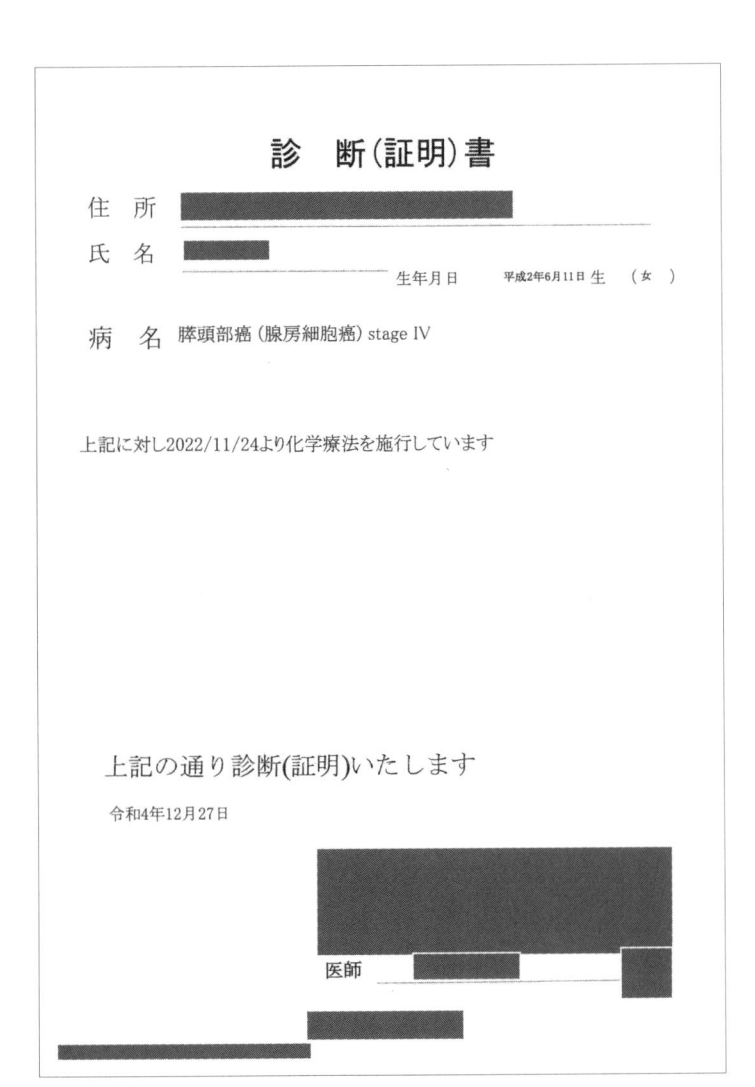

みずきさんから見てどうでした?

生まれて初めての悪意にさらされて

抗がん剤治療が始まる前は病気の症状が強くて、こうちゃんの言葉を借りると「このまま命の灯が尽きていく」って、そういう風に弱って見えていたらしいんですね。

抗がん剤が始まってからは、「干物ウィーク」はめっちゃ辛くて寝込んでるんですけど(笑)、それ以外のときはバンッと変わってきて。

そういう様子が伝わったせいか、反対にアンチの書き込みが増えてきたんですけど。

沖縄時代も、旅を始めてからも、たまに変なコメントはあったんですけど、基本的にぬくぬくやってきたんですね。YouTubeを始める以前も、スポーツだったり学校だったり職場だったり、ありがたいことに周りの人に恵まれて「どこも楽しい!」みたいな感じでした。

だから悪意のある言葉を向けられたことが初めてで、最初は、きっとこの人にも何か事情があって、こんなことしてるんだって思っていたんだけど、内容がそれでは収まらない言葉だったり、量もどんどん増えてきたときに、こうちゃんが「こういう人たちはいっぱいいるんだよ」って言って。

　平気で人に悪意を向ける人もいるし、思い込みの強い人もいっぱいいるって言われて、社会勉強としてそれを知りました。それまで2年近くYouTubeをやっていながら、インターネットのことを全然知らなかったなって。ネットのノリだったり拡散力だったり、全然知らないでいたってことに自分でもびっくりして。ネットの恐ろしさを知りました。

　でも正しい批判だったら、受け止めなきゃなんだけど、それこそ「病気は嘘だろ？」とか、私たちに対してすごい設定を設けて「この人たちは夫婦でもなんでもなくて、劇団員で」とかいろいろあって（笑）。

　反論してもしょうがないからっていう、モヤモヤとかフラストレーションは溜まっていたと思います。みなさんそれぞれがそれぞれの考えを信じていて、それぞれに「正義」としてやっているところが、なんとも言えないですよね。

夢が、現実に叶える「目標」になった

余命宣告されてからはずっと生き急いでいたと言うか、こうちゃんと

一緒に、会える友達に会ったり、やりたいと思ったことはやったりして、人生の楽しいとこだけいいとこ取り！　みたいな日々を送って、ふたりで生き急いでました。

ただ「フェルメールの絵を見たい」っていうのは全然別次元の難易度で。私の中では昔から、それこそ「死ぬまでに見られたらいいな」っていう夢だったので、それが実際に叶うということまでは考えたことがなくて。

私がそれを口に出したことで、いろんな方が現実的に考えてくださって、こうちゃんもそうだし、「見に来たいんだったら」って協力してくださる人もいて、夢だったものが、現実に叶える目標になったので、一気に気持ちが元気になりました。

第7章　サニージャーニー・イン・ヨーロッパ

2月23日、朝日覚めると、とんでもない数の荒らしコメントが届いていた。

「早く証明しろ」

「どうするのか楽しみ」

「絶対に詐欺」

「いよいよ嘘がバレますね」

などなど、今までとは桁が違う量の、荒らしコメントだった。

一体何があったのだろうとコメントなどを読んでみると、とある有名YouTuberのライブ配信でみずきが詐病なのではないか？　と取り上げられたらしい。調べてみると、200万人近いチャンネル登録者数がいる暴露系YouTuberらしい。

２００万人という数字を見て事の重大さがわかってくる。

そのライブ配信は、有名人の秘密を持った視聴者が電話等で参加、生配信で暴露していくというスタイルだ。

僕たちの場合、熱心なアンチがひとり、「がんだと嘘をついてお金を集めている YouTuber がいる」と根拠のない告発をしたらしく、そこから僕らのインスタにその YouTuber が「今通話できますか？」とＤＭを送り、返答がないのでアンサーの動画を待つ、という流れになった。その配信を見た視聴者が、僕らのチャンネルに大量に流れてきて荒らしコメントをつけているというのが現状のようだ。

確かにインスタのＤＭに23時33分に、「初めまして！　今通話可能でしょうか？」と先方のアカウントからＤＭが来ていた。僕の認識からすれば、面識もない相手に、夜遅くに名乗りもせず「今通話できますか？」は結構、非常識だ。

だが、YouTube 界では文春砲にならって「〇〇砲」と呼ばれるほど影響力があるようで、この連絡の仕方にも、視聴者は違和感を持っていないようだ。

今までのアンチは無視していても影響力はさしてなかったが、今回の事態は対処しないわけにはいかないようだ。YouTube のあれこれに詳しい友人に連絡して聞いてみたが、やはりその人物の影響力は大きく、沈黙＝詐病だと認めた、となってしまうだろうと言われた。

なぜ放っておいてくれないのだろう、と思った。

僕たちが何をしたのというのだ？

そうは言っても、こうなった以上何もしないわけにはいかない。

問題はどうがんを証明するか？　だ。

以前も書いた通り、公の場に向けて自分のがんを証明するのは非常に難しい。

診断書の個人情報が明かせない以上、利害関係のない第三者に診断書を見せて確認してもらうほかないが、テレビという巨大メディアで診断書を見せてもダメならどうすればいいのだ？

今回の騒動はこの人に診断書を見せれば収まるのかもしれないが、どうやって僕たちがこの人を信用できるというのだろう？　よく知りもしない、絶大な影響力を持つ暴露系YouTuberに、個人情報をさらすわけにはいかない。

だから自分たちでアンサー動画を出すことにした。動画の内容は要約すると以下の通りだ。

- フジテレビが仕込んだやらせYouTuberだといった陰謀論者は相手にしていない。
- 個人情報や、みずきの通院する病院は安全のため明かせない。
- みずきがウィッグを取り脱毛の状態を見せる。
- 皮下に埋め込んでいるCVポートを見せる。
- フォルフィリノックスの抜針動画を見せる。
- 個人情報を隠した診断書を提示する。

また以下の内容を含めた。

・100歩譲って個人情報を隠さずに診断書を見せたとして、それが本物だとどう証明するのか知りたい。病院に問い合わせても個人情報保護の観点から答えてくれるわけがないので、精巧な偽物であれば証明のしようがない。

・フジテレビ・ABEMA・テレビ大阪・HBC北海道放送に出演時に、すでにがんであることは証明している。特にフジテレビに関してはディレクターさんの厚意で番組内で『めざまし8』は精密検査を受けたときの資料を見せてもらい状態を確認」というテロップを出してくれている。ネットを探せばその動画は見つかるのでそれが証明になる。

・上記で納得できないならみずきの診察についてきてもらうことはできる。もちろん撮影も録音もできないが、そちらが自分の個人情報を提示してくれるのであれば可能。

以上の内容を説明し、最後にみずきに想いを話してもらった。

今までがん患者とは思えないほど明るく、前向きに過ごしてきたみずきだったが、今回はさすがに怒っていた。

「なんで自分ががんだってのを、こんなに必死に証明しないといけないの？」

滅多に人に怒りを向けないみずきが、目に涙をためて怒っていた。

胸元のCVポートを見せることも、ウィッグを外して脱毛している姿を見せるのを決めたのもみずきだ。脱毛を隠すためにウィッグを被っているのに、なぜそれを何十万人、何百万人にわざわざ見せなければならないのか？

この事態を引き起こした人は、これで満足だろうか？

一体どこに正義があり、罪もない相手をこんな風に糾弾できるのだろう。

みぞおちが熱くなり、吐き気がする。

骨を焼くような怒りをどこにもぶつける術もなく、積み重なった名前のない人々の悪意は、少しずつ、少しずつ僕の心を壊していく。

この動画の公開後、「動画内で言っていたように対応したいので、電話で相談できないでしょうか？」と先方から連絡が入った。

別に来てもらっても構わないのだが、正直、めんどくさかった。だが言った以上、断るわけにもいかない。

電話で相談した結果、先にこちらに個人情報（免許証と住民票、そこに住んでいることが確認できる直近の郵便物）を送ってもらい、その上でみずきの診断書を見せることになった。

情報の価値という意味で言えば登録者約20万人の僕たちの住所と、約200万人の超有名配信者の住所では雲泥の差がある。そこまでするなら信用しようという話になり、診断書、ほかいろいろな書類を見せることにした。

後日、先方の配信で、僕らの話が本当であったと証明してくれていた。

だけど、気持ちはこれっぽっちも晴れなかった。

そして、これだけやってもアンチは減らない。

むしろ今までは無視できる規模のものだったが、今回の配信をきっかけに、あれこれ個人情報を特定しようという輩が這い出てきた。

動画を編集しているとき、企画を考えているとき、ご飯を作っているとき、風呂に入っているとき、名前も顔も見えない人々の声が聞こえるようになる。

論理はメチャクチャの全く筋の通っていない意見ばかりだが、反論する場所がない。いちいち反応していては発信内容が暗いものばかりになってしまうし、ファンはそんなものを望んでいないだろう。

動画を編集していても「この発言はまた叩かれるかもしれない」といった部分ばかりを気にしてしまいみぞおちが熱くなる。

夜眠れなくなり、

「こんな風な動画を出したら、ぐうの音も出ないだろう」

「こんな風にブログで、アンチの人間性の低さを書き殴ってやろうか」

「アンチを装ってコミュニティに入り込み、何人か特定して晒してやろう」

そんな風に実行するはずもない過激なアンチ対策を考えているうちに、気づくと空が白んできている。

みずきのがん発覚以降、ギリギリのところで気持ちを保ってきた。

強風にさらされる砂の城のように、ゆっくりと心が崩れていくのを、明け方の冷たい空気の中、他人事のように感じていた。


そして僕たちは、動画投稿をしばらく休むことにした。


北海道は広い。

同じ道内でも、東京↓大阪間くらいの距離感で移動することがある。

今回の旅行はそこまでではないが、北海道に来てから最大の遠征だ。

目的地は網走。札幌からの距離は330キロメートル。

網走監獄で有名な北海道の東の果てに、みずきのやりたいことリストに載っている「砕氷船に乗って流氷を見る」を叶えに行く。

砕氷船という名前だけでもう冒険感がすごく、みずきが乗りたいと言ったとき、僕も大賛成だった。極寒の海を氷を砕いて勇ましく走る姿は壮観だろう。

動画を休むと決めてから、気分も少しずつ晴れてきている。まだストックしてあった撮影済み動画を編集して出しているので、世間的には休止中と思われてはいないだろうが、気持ちとしては長期休みに入った気分だった。

札幌を出て芦別《あしべつ》で名物のガタタンラーメンを食べ、旭川を抜け、南には大雪山、目の前には雪原が広がるザ・ホッカイドーな風景を見ながら6時間運転し、網走湖の湖畔に立つ宿にたどり着いた。

網走湖は氷が張って、その上に雪が積もっていた。どこまでが地面でどこからが湖なのかわからず、誰のものなのか湖の中心へと足跡が続いていた。

新作動画制作は休止中とはいえ、せっかくなので道中や明日の砕氷船は撮影予定だったが、夜だけは撮影をやめた。落ち着いた和室の少しいい宿で、久しぶりにのんびりと過ごした。

翌朝目覚めると晴れていた。

天気予報を見ると意外と気温が高く、南風の予報だった。不安だ。

冬になると流氷はいつでも見られるものと思っていたが、意外と運が必要なようだ。暖かい日は南風、つまり陸から沖に向かって風が吹くので接岸していた流氷が沖に流されてしまい、砕氷船に乗っても見られないケースもよくあるそうだ。

とりあえず現地に行ってみないとわからないので、船着場へ向かった。予約してあったチケットの交換手続きをする必要があり、受付はすでに長蛇の列だ。まだ時間はだいぶ早いのに。

列の進みは早く、そんなに待たずに受付までたどり着いたが、

「本日は南風の影響で流氷が沖に流れてしまい、見ることができません。それでも乗船されますか？」と聞かれた。

6時間かけて来たのに見れないの……？

その可能性は承知の上だったし、道外からの観光らしき人もたくさんいたので、その人たちの落胆に比べればダメージは軽いのかもしれないが……。

「絶対見られないんですか？」

「見られません」

「……」

それでもせっかく来たんだしと、とりあえず砕氷船おーろら号に乗り込んだ。

みずきは少しでも動画を盛り上げようと世界最大級のクリオネ・大王クリオネ（みずきの創作）のモノマネをし始める始末。これは動画もお蔵入りだなー、とぼんやり外を眺めていた。

この日のために買ったオーロラジャケット（極寒の地でのオーロラ鑑賞にも耐えるという耐寒性能を持ったジャケット）も無駄になりそうだ。

観光船なのだから何か美しい景色が見られるのかと思いきや、行けども行けども海ばかり。しかも冬のオホーツク海の海は、黒っぽくて全然綺麗じゃなかった。

そんな風に海を眺めて時間を潰すうち、なんとなく水平線が白っぽく見える気がした。

あまりに流氷が見たすぎて、僕はみずきに言う。

「なんかさー、あれ流氷に見えちゃうよね」

気の抜けたコーラのような会話をしていたら、船内の空気を一変させる放送が入る。

「お客様にご案内いたします。流氷が近づいてまいりました」

「ええええー??」

船内がざわつき始める。

「ただいま流氷帯に向けて航行しております。わずかな時間になると思いますが、流氷帯を航行いたします」

一気に船内が活気づいた。

船の一番前の窓に張り付き「あれそうですよね?」と隣のおじさんと話し合う。

水平線だった場所が白く、水平線よりは少し太いように見えるのだ。

こうしてはいられないと、慌ててオーロラジャケットを着込んでデッキに飛び出す。

外は雪が降りしきり、風も強い。しかし流氷帯に近づくにつれ、はっきりと氷の大地が見えるようになってくる。

「流氷だー、流氷だー!!」

「すごいすごい!!」僕もみずきも口々に叫ぶ。

流氷の上には何やら大きい鳥が乗っていて、飛び乗れば自分たちも乗れそうなほどしっかりした氷だ。

氷の浮かぶオホーツク海をバックに、みずきの姿は完全に南極探検隊だった。

ゴウンゴウンと音を立て、砕氷船は氷を押しのけて進む。

「砕氷だ」

「砕氷だー!!」

バカみたいな雄叫びを上げる僕たちを乗せ、おーろら号は見事に砕氷船としての役割を果たして進んだ。


3月下旬、今日は2回目のCT評価日だ。

動画休止の間、みずきはかなり元気だった。

砂川へ遊びに行ってエアーズロックのようなポークチャップを食べたり、円山《まるやま》公園を散歩してリスを見つけたり、味噌ラーメン、スープカレーと札幌グルメを食べ歩いたり、がん患者とは思えないほど元気に遊び回っていた。

もちろん抗がん剤の副作用が出ている干物ウィークは相変わらず辛そうで、吐き気や脱毛に加え、痺れが足先にも広がり、味覚障害も出てきてしまった。

この味覚障害が意外と曲者で、食べ物がなんでも異常に甘く感じてしまい、挙句自分の唾液まで甘くて、ずっと気持ち悪くなってしまうようだ。

そのため食事を取れずに体重が落ちてしまうが、元気ウィークで食べたいものを食べまくって取り戻し、体重は一定をキープしている。

そんな調子で比較的元気に過ごせているので、前回のCTよりさらにがんが小さくなっているのではないかと期待していた。以前ほどの緊張感はなく、待合室で談笑する余裕もあった。

名前が呼ばれ、試験の結果発表のような気持ちで診察室へ入ると、

「よかったね！　またよく効いてるよ」と開口一番、先生が笑顔で教えてくれた。

先生によれば、前回よりさらに腫瘍が縮小していて、いよいよ手術の時期などを話し合うときが来ているとのことだった。

ついに手術だ!!

あれだけ遠く霞《かす》んでいた「手術でがんを切り取る」という、素人目にも一番効きそうな治療が、いよいよ現実のものとなって提示された。

手術については具体的にはまだもう少し様子を見たいが……と前置きして先生が続ける。

「オランダ行くなら手術前に行っちゃったほうがいいかもね！　手術すると体力がガクッとなくなって動きづらくなるから、今がチャンスかも」

先生にオランダに行きたいという話はだいぶ前に伝えてあったが、まさか先生側からその話が出るとは……。

最近は診察室で先生も明るい。そのくらいみずきの状態はいいのだろう。

帰ってすぐベルギーのKさんにメールを送る。みずきの手術が見えてきたこと、それに伴いオランダに行くなら4月には行きたいことを伝えた。

フェルメール展のチケットはすでに全日程soldoutでKさんに頼るほかない。

もしフェルメール展の終了まで待っていれば、手術との兼ね合いでオランダ行きはだいぶ遠のいてしまう。

なんとかチケットが取れますように。

その数日後、オランダの美術館と交渉しチケットを押さえられたと、Kさんから連絡が入る。

偶然にも全ての歯車が噛み合い、オランダ行きが現実味を帯びてきた。先生は、「ヨーロッパまで行くなら（元気ウィークの）1週間だけではもったいないし、せっかくなら他の国も行ってきたら？」と提案してくれた。

僕たちはフェルメールの絵だけ見られればよし！　という気持ちで、おそらくオランダ滞在は4〜5日だろうと思っていた。最悪、フェルメール展だけでも弾丸で行くつもりだった。

しかし先生は「ここまできたら手術に向けて抗がん剤を休薬するのもひとつの方法だし、2週間くらい行ってきたら？」と言うのだ。

急に浮上した2週間のヨーロッパ旅行だ。

「それなら、フランスのパリに行ってみたい……」とみずきが言うので即答でOKし、フランス行きの飛行機のチケット、フランスからオランダへの交通手段、オランダから日本への帰国の飛行機のチケットを取り、あっという間に12日間のフランス・オランダ旅行が決まった。

ふたりともヨーロッパは初めてで、何年かぶりの海外。

みずきは踊り出さんばかりに（と言うか実際に踊っていた）喜んでいた。

僕も海外に行くというだけでワクワクするので、急展開にとても心躍った。

この日から、僕は万が一のことがあったときに、オランダでもフランスでも病院に行けるよう YouTube の視聴者さんや、自分のツテを使って現地に住む日本人の方から医療情報を集めていった。

みずきはオランダの観光本、フランスの観光本を何冊も買い込み、干物ウィークも元気ウィークの空き時間も、ずーっと本を読み、付箋を貼り、Google マップにピンづけをして過ごした。

尋常ではないピンの数だが、どうやって回るつもりなのかはわからない。

何はともあれ病気発覚以降、一番イキイキしているみずきの姿が嬉しかった。

オランダ行きは決まったが、手術の日程等の詳細はまだ決まっていなかった。そこで、外科の先生にどんな手術を受けるのか？　みずきの受ける手術の説明を受けに行った。

端的に言えば、想像を超える大手術だった。手術の名前はすい頭十二指腸切除術。うまくいって8時間、長ければ10時間を超える場合もあるらしい。

10時間もお腹を開きっぱなしにして、大丈夫なのだろうか？

外科の先生によれば、全身麻酔をして20㎝ほど開腹、すい臓の3分の2、胆管、胆のう、十二指腸を周囲のリンパ節ごと切り取ってしまい、最後に十二指腸を切り取ったぶん小腸を引っ張り上げ胃と繋ぎ、すい臓は切り口を小腸に縫い付けるのだとか。

すい臓を一部切り取るだけだと思っていたが、十二指腸に胆のうまで取ってしまうらしい。

人間ってそんなに内臓を取って生きられるものなのか？

すい臓をかなり切除してしまうぶん、物理的にすい液が足りなくなってしまうので、今後一生薬は飲み続けないといけない可能性が高く、糖尿病になるリスクも相当高いらしい。

また、可能性は3％だが、手術中に亡くなるリスクもある。

絶句しながら説明を聞き終え、診察室を出た。

「手術できるようになって嬉しいけど、手術じゃない方法ないのかね……」と僕がこぼす。

ここまでがんが小さくなっているのだから、このまま抗がん剤を続けるとか、それこそ様子を見ながら免疫療法を受けてみるとか、別の方法ではダメなのだろうか。

よくよく考えてみたら、メスを入れてみずきのお腹を開けて内臓を切り取るなんて、想像しただけでも倒れそうだ。

「でも、手術が一番確実な方法だし、もし他の方法を選んでがんが残って、転移したりしたら後悔するから……」とみずきは前を見ている。

「まあ……そうだよね。みずきが決めることだから、みずきがそう言うなら……」

「大丈夫だよ。こうちゃんがいるからみずきは死なない」

僕の手を握り微笑んでくれた。


4月9日、復帰動画を公開する。

十分休んだし、休んでいる間もファンの方々が、過去動画を再生してくれていた。

復活して元気な姿を見せ、応援してくれる方を安心させたい。

久々に撮影の準備をし、カメラのスイッチを入れ、それぞれのマイクの音を合わせる編集点を作るため、手を3回叩く。

「明るく撮ろうね」。ふたりで確認し合い、

「みなさんこんにちはー」とカメラに向かって挨拶する。

YouTubeを始めてからずっと継続的に撮影していたので、こんなに撮影の間隔が空いたのは初めてだった。「どんなテンションで喋っていたんだっけ？」と言い合って笑顔が溢れる。

動画の中ではお休みの間も動画を再生してくれたお礼を伝え、みずきの現在の病状（抗がん剤の副作用以外はかなり元気）、手術ができるようになったこと、手術の時期を決めるのが非常に難しいことを話した。

先生の話によれば手術の時期については正解がないらしい。

そもそも、切除不能のすい臓がんから切除可能になって手術を行う（コンバージョン手術と言う）事例が少なすぎる。

基本的に、みずきのように遠隔転移があった場合、すでに全身に検査では見えないがんが散っていると考える。すい臓を切除した結果、そのダメージで免疫が落ち、他の箇所に隠れていたがんが大きくなってしまい再発するという事態になったら最悪だ。

これを避けるためには、体が耐えられるギリギリまで抗がん剤を続けたところで手術をして、再発を防止するという考えが主流らしい。

少ない症例から弾き出した一応の基準としては、8カ月抗がん剤をした後の手術だと再発率がだいぶ下がる。

だが、みずきの場合あまりに劇的に抗がん剤が効いたため、もしかしたら体の中にがんはもうないかもしれない。

それならば、抗がん剤を無駄に続けて体力を奪うより今すぐにでも手術するほうがいい。医師から受けた説明をそのまま動画でも伝えた。

みずきが抗がん剤を始めてまだ4カ月と少し、主治医の先生も、外科の先生も今手術を行うべきだろう、との見解だった。

具体的な時期としては5月後半を提案してもらった。

僕としても手術するなら早いほうがいいが、もし再発したら……。

どれだけ話し合っても不安は拭えなかった。

朝、家を出る前、珍しくあまり元気がないみずき。

気が滅入るのも当然で、再びみずきは入院する。フランスへ旅立つ前に、ステントを入れるためだ。

以前抗がん剤がよく効いて脱落してなくなっていたステントだが、万が一海外で炎症が起きて胆管が詰まるとかなり大変になるらしく、念のためもう一度入れようと先生が提案してくれたのだ。

ただ、ステントが今までの治療で一番痛くて辛かったので、みずきは憂鬱《ゆううつ》だった。

病院へ行き、もう慣れてきた入院手続きを済ませる。病院に来るだけで辛そう（条件反射で抗がん剤を思い出し気持ち悪くなる）な顔のみずきを見送る。

痛くなりませんようにと祈っていたが、前回よりはだいぶマシだったらしい。

前回は入れてすぐ痛みが出て、痛み止めを入れても痛くて仕方なかったが、今回は少し痛いくらいだったようだ。

特に問題は起きず、2泊して抗がん剤を投与した。

今回の干物ウィークが終われば、いよいよヨーロッパ行きだ。

しかし今回の干物ウィークはかなり副作用が重い。食事が全然食べられず、ずっと辛そうにしている。

いつもなら5日目くらいにはなんだかんだ元気になって、無理やりでも外食に出かける（みずきの食い意地）のだが、5日目の今日もまだベッドでずっと寝ている。

「抗がん剤が抜けなくて出発できなかったらどうしよう」と弱気になっているので、「大丈夫だよ。もし出発できなくても飛行機ずらして、ホテルキャンセルして、フランスの旅程を少し削ればいいよ。最大の目的のフェルメールはまだまだ先だから絶対間に合うよ」と手を握る。

「でもフランスもめちゃくちゃ楽しみだから行きたい」とポロポロと涙をこぼす。

「絶対大丈夫、まだ2日あるから慌てずゆっくりしていて」とみずきの頭を撫でる。

みずきが抗がん剤と戦っている間、僕はバリバリ働きまくった。

ヨーロッパに行っている間も、まだ日本にいるかのように動画を公開し続けたい。

だから、旅行中に編集しなくていいように、撮り溜めたぶんを今のうちに完成させておいた。

まだまだアンチは多く、海外行きを決めてからはより一層活動を強めているようだった。リアルタイムで海外にいることがわかってしまうと、帰国日を予想しようとするだろうという推測から、渡航中だとわからないようにしておきたかった。

実際、ヨーロッパ動画を公開し始めると、予想通りの行動を取っていた。

もうその頃にはとっくに帰ってきていたのだけれど。

ヨーロッパ出発の前日、朝起きるなりみずきが「元気になった！！！」とニコニコで報告してきた。

「旅程を変更しないといけないかもな」と僕は飛行機の変更手続きなどを調べていたが、みずきの根性はすごい。〝これはやりたい〟となったとき、がんも抗がん剤も撥《は》ね除けて体調を回復させてくるのだ。

「吉野家の牛丼が食べたい」と言うので（干物ウィーク明けはファストフード希望が多い）、一緒に吉野家へ行き、お義母さんを誘ってお茶し、明日からのヨーロッパの話をあれこれ話す。

いよいよ明日はフランスへ飛ぶ。

何事もありませんように。

そして迎えた旅行当日。今日も札幌は快晴だ。

サニージャーニーの名前は伊達じゃなく、なんだかんだ大事な日は晴れが多い。

家までお義母さんが迎えに来てくれて、空港まで送ってくれる。

空港に着いてまず外貨に両替する。ほとんどカード決済する予定なのであまり現金は使わないかもしれないが、ユーロを手に取ったみずきが「いよいよだねぇ」と微笑む。

2週間ぶんのとんでもなく重いスーツケースを預け、搭乗ゲートをくぐり、いよいよ出国手続きをする。それを終えただけで、まだ日本にいるのにもう日本でないかのような感覚がしてくるから不思議だ。

ここからトランジットの香港までの間、どこの国にも所属していないような気がする。


その後、5時間のフライトを経て香港に到着。

飛行機を降りるとむわっとした空気と、読めそうで読めない漢字の看板で海外に来たことを実感する。久々の海外で絶対に乗り継ぎを失敗しないように案内板を見続ける僕とは対照的に、みずきは、

「何かいろいろなお店あるね」

「なんか食べれないかな?」とキョロキョロ。

乗り継ぎの時間が気になって気になって少し焦ってくるが、みずきはお店に入ってのんびりドリンクを選んでいる。

「香港でお買い物したー」とパッションフルーツのジュースに満面の笑顔だったのでまあいいか。

フランス行きの飛行機に乗り込んだものの、大雨で1時間ほど待たされた。

やがて、すっかり雨が上がった夜空を、香港の夜景を見ながら飛び立ち、14時間のフライトでフランスのシャルル・ド・ゴール空港を目指す。

今回の旅は多くの方から「みずきの幸せのために」といただいたOFUSEで実現した。

海外渡航を発表してからは「どうせならビジネスクラスで優雅に」という声もいただいたが、ビジネスクラスは目玉が飛び出るほど高かった。分相応にエコノミーで14時間耐える。

ステージ4のすい臓がんを患っているのに、14時間のエコノミーを体験した人はあまりいないのではないだろうか？　だがみずきを見ると、「本場のルイ・ヴィトンだ！」と免税店を見ながら楽しそうだ。

我が妻ながら、つくづく彼女の根性には驚かされる。

空港を出るとパリの朝の空も晴れていて、サニージャーニーのヨーロッパ編が始まった。

この後のホテルでの珍道中や、フランスでの都市観光、高速鉄道でオランダに到着するまでの5日間は、書き出すと長くなるのでここでは割愛する。ぜひ動画を見てもらいたい。いやあ、大変だった！

オランダ・アムステルダムでの2日目。

街に出て市場を散策した後、ゴッホ・ミュージアムへ歩いて向かう。

みずきはゴッホも好きで、特に『花咲くアーモンドの木の枝』という絵が見たいらしい。そしてゴッホミュージアムの前で、Kさんと待ち合わせをしていた。

Kさんは今回のオランダ行きのきっかけとなった、フェルメール展のチケットを取ってくれた方だ。大恩人のKさんと会うということで、少し緊張してゴッホ・ミュージアムへの道を歩いて行くと、

「おーい」と声をかけられた。

日本人の女性が、花壇の縁にちょこんと座っている。Kさんだ。

「初めまして！　本当にお世話になりました」と挨拶をすると、「みずきちゃん来れてよかったねー!!」と、まずみずきが無事来れたことを喜んでくれた。

ゴッホ・ミュージアムをひとしきり堪能した後、Kさんと近くのレストランに入った。

クロケットとポテトをつまみながらいろいろな話を聞かせてもらった。

Kさんはベルギー在住で、本当にいろいろな経験をしている方だった。個人の特定に繋がるので詳細は割愛するが、ともかく知識豊富で楽しい時間を過ごさせてもらった。

何よりYouTubeを見て、見ず知らずのみずきのために自ら動いてくれる行動力が本当に尊敬できる。

レストランを出て、Kさんに案内されながら運河沿いを散歩し、いつかベルギーにも遊びに行きますと約束して別れた。

また会えますように。


4月27日、朝起きると、みずきが熱を出していた。

本人曰く体調がそこまで悪いわけではないらしいが、熱を測ってみると37・2度あった。喉も少し痛いらしい。

「大丈夫、よくあることだよ」とみずきは言うが心配だった。

「とりあえず何か薬を買ってくるよ」とホテルを出る。

1キロメートルくらい歩くと小さな薬局があるようだ。風邪薬くらい買えるだろう。

だが、その日はちょうど「キングスデー」と言ってオランダの王様の誕生日だった。道行く人はみんな、マフラー、Tシャツ、スカーフなど何かしらオレンジ色の衣服を身につけて、あちこちでお祝いする、オランダでは最大級のお祭りの日らしい。

薬局に着くと、今日は祝日のため休業……。閉まった店の前でフリマをやっている人に風邪薬を売ってくれないか尋ねると、「今日はお休みだから無理。スーパーでも簡単な薬なら売ってるよ」とあっさり断られた。

キングスデーはほとんどのお店が休みらしいが、スーパーは普通に営業していて、店員さんに症状を伝えると、「これを飲めばいいよ」と何やら喉痛の薬に見えるパッケージのものを渡された。

ホテルに戻り「これしか買えなかった、キングスデーで薬局お休みだったよ」とみずきに伝えると、「寝てたらだいぶ体調良くなってきたから大丈夫だよ」と微笑んでくれた。

大したことなさそうでよかった。

薬を飲み、少し寝て目覚めると、「なんかちょっと体調良くなったかも。ご飯食べに行こ」とみずきが言う。

少し心配だったが、「道路渡った向こうにあるカフェでいいから」と窓の外を指差す。

食事をしたらさらに元気が出たらしい。みずきにせがまれ、ホテルから数分歩いてアムステルダム市街地で最大の面積を誇るフォンデル公園まで出て、キングスデーの雰囲気を味わった。

そしてこの旅最大の目的の日を迎えた。フェルメール展。今日のためにすい臓がんの妻を連れてオランダへやってきた。

だが、朝早く起きてふたりで撮影を始める。

実は以前から受けていた動画の案件の撮影をこなさなければいけない。

YouTuber の収入は？　といえば一番に思いつくのは動画の再生に対する広告収入だろう。

しかし今時、動画の広告収入はそんなに多くはなく、こうした商品のプロモーションも大事な収入源だ。万が一、みずきの体調が急激に悪化したときに、お金がなくてやりたい治療ができないという事態にはしたくない。

それに手術の後は、次にいつ動画が撮れるかわからない。

「今のうちにできる限り収入を得ておこう」というのはふたりで相談して一致した意見で、オランダでの案件実施も自然な流れで決まった。

そんなわけで夢が叶う日の朝なわけだが、化粧品のプロモーション動画を制作した。

撮影が終わると街へ出る。

フェルメール展はチケットによって入場できる時間が決まっていて、僕たちは16時入場だ。それまでの時間、みずきの行きたい雑貨屋さんやスイーツ巡りをして過ごした。

運河には船が泊まっていて、そこには人が住んでいる。接岸部分が玄関のようになっていて、陸側が少し庭のようになっている船もあった。

運河に停泊する船で暮らすというのはどんな暮らしだろうか。

運河のそばのアンティークなカフェに入り、みずきがオランダで気に入っているスイーツのアップルケーキを食べる。

店内は年月を経て濃い色になった木の壁が印象的で、アメリカのクリントン元大統領も来たことがあるという。狭いので相席は当たり前で、僕たちは若い女性5人のグループと相席になった。

それぞれオーストラリア、アメリカ、チリ、ブラジルなど別々の国から一人旅で来ていて、ドミトリーで出会ったそうだ。各国の文化について彼女たちと少し話すだけでも楽しく、英語を勉強し直そうと感じた。

カフェを出ていよいよライクスミュージアムへ向かう。

美術館が近づいてくると胸がドキドキした。

この年になると胸がドキドキするなんてあまりないかもしれないが、美術館が見えてくると本当に文字通りドキドキして、鼓動が聞こえそうだった。

ライクスミュージアムはアムステルダムの中心に位置し、オランダの黄金時代の絵画を一望できる……と観光雑誌に書いてある通り、130年以上前に立てられたその外観は威風堂々としていた。

美術館の美しい装飾の壁にポッカリとアーチが開き、その下を自転車や通行人が通り抜ける。アーチの真上にはフェルメールの『婦人と召使』の襟元部分をクローズアップした巨大なパネルが展示してあり、黒字でVERMEER《フェルメール》と書いてある。

フェルメール展が開催されているのだ。

ストリートミュージシャンが奏でるアコーディオンの音色にワクワクが止まらない。

もともとフェルメールの絵は僕の夢ではない。

しかし、みずきががんになり、「フェルメールの『牛乳を注ぐ女』を見たい」と口にしたときから、それは僕の夢にもなっていた。

あれだけ絶望的だった状態から、遠くヨーロッパまでやってきて、今、フェルメールはすぐそこだ。

まずは常設展に入り、レンブラントの『夜警』を見る。

想像以上に巨大な絵だったが、修復の途中なのかガラスの仕切り越しだったのが残念だった。フェルメール展に最大限時間を使いたいので、常設展は早々に切り上げ特別展示の会場へ向かう。会場は入場人数を制限しており、そこまでの混雑はない。

これなら好きな絵を好きなだけ見ていられそうだ。

まず目に入ってきたのはフェルメールの故郷・デルフトを描いた『デルフトの眺望』だった。南から見たデルフトの街が描かれている。

画面の下側は港、水面は静かで船が何艘も停泊している。空には大きな雲が浮かんで、空の色は淡い青。全体的に落ち着いた印象を受ける静かな絵だ。

「フェルメールはデルフトで生まれ、デルフトで没したんだよ。どんな気持ちでこの街を眺めていたんだろうね」とみずきが言う。

絵のそばに行き、じっとその絵を見つめていた。

他にも展示されているのはフェルメールの絵ばかりで（フェルメール展なので当然だが）フェルメールらしい柔らかなタッチの肖像画が多く、みずきはひとつひとつ立ち止まってじっと見ていた。

1枚の絵を見ていると、「いつも見てます」と突然、日本語で話しかけられた。話しかけてきたのは子連れのお母さんで、僕たちのYouTubeを見て応援してくれているのだそうだ。突然、視聴者の方に話しかけられるのは慣れてはきたが、まさかオランダで話しかけられるとは思っていなかった。

みずきがフェルメール展に行きたいと聞き、チケットは取れたのか、何かできることはないか、といろいろ心配していてくれたそうで、ここで会えるなんて感激だと伝えてくれた。

こんなに遠くの空の下でもみずきを応援してくれている方がいるなんて不思議な気持ちだ。そのおかげでここまで来られたのだ。本当にありがたい。

そして遠くからでもわかった。

『牛乳を注ぐ女』だ。

みずきは「あー……近寄れないわ」と繰り返し、すでに泣きそうな顔だ。

「せっかくだから近寄って見なよ」

「遠くから見ても綺麗」。みずきはなかなか近寄ろうとしない。

すでに涙を浮かべている。

みずきを促し、絵のそばへ。

手を伸ばせば届くようなところにその絵はあって、みずきはポロポロと涙をこぼした。

僕は絵よりもみずきを見ていた。
絵に見入るみずきはとても綺麗で、夢が叶った瞬間の彼女が、ぼんやりと光っているように見えた。

日本一周出発のフェリーで大好きな沖縄に手を振るみずき
与論島の信じられないような青色の海を見るみずき
1000年を超える樹齢の屋久杉の横で踊るみずき
車内でふたりで作った夕ご飯を食べ幸せそうなみずき
阿蘇山で馬に跨《また》がり大興奮のみずき
京都の先斗町《ぽんとちょう》で提灯の灯りに照らされるみずき
大好きな坂本龍馬の銅像の前で涙するみずき
僕はいつもみずきを見ていた。みずきを見ているのが好きだ。
夢にまで見た絵に涙するみずきの横顔を見て、僕も涙がこぼれていた。

みずきさんから見てどうでした？

普段見てくれている方たちを不安にしたくない

動画の配信を休むことになったとき、ちょっとふたりが疲れちゃったのでっていう説明をしたんですけど、実際は私よりもこうちゃんが疲弊しちゃってて、こうちゃんのメンタル的に休んだほうがいいねってなってたんです。

私が結構、こうちゃんが言い返すのを止めちゃっていたので。それをするとイメージが暗くなったり攻撃的に見えてしまって、普段見てくれている方たちが不安になっちゃうと思ったんですね。

本来こうちゃんは、間違っていることは間違ってるって言いたいタイプなので、それを我慢させることになってしまったのは本当に申しわけなかったです。

私はできるだけ穏やかな気持ちで、みなさんに動画を見てほしいっていう気持ちがあったけど、結構、長い間こうちゃんの本質に合わない対応をさせてしまっていて、暴露系に取り上げられたときはそれが爆発しちゃったんだと思います。

初めての文化に触れられた嬉しさ

ヨーロッパは、もちろんオランダにフェルメールの絵を見に行くことが目的だったんですけど、その前にはフランスにも滞在できて、すごく久しぶりに自分が見たことない文化だとか、景色や人に出会えて、それをふたりで経験できたことが嬉しかったです。日本を離れたっていうことが、やっぱり大きな気分転換になって、すごく開放的に楽しめました。

絵を描くのが好きだったので、学生時代から美術の資料集などを見るのが好きだったんですが、確か授業中だったと思うんですけど、『牛乳を注ぐ女』を見たときに、その絵の中から感じる空気感や湿度や質感とか、全てのものが生々しく輝いて見えて、目が離せなくなっちゃって。

でも『牛乳を注ぐ女』だけじゃなくて、全部で三十数点しか存在しないフェルメールの絵のほとんどを見られたこと自体も夢のようだったんですけど、それにも増して「夢を口に出して語る」ことで、それが叶う、支えて叶えようとしてくださるたくさんの人がいるっていうことが、やっぱり大変なこともあったけれど、YouTuber をやってきたからこそだな、ありがたいことだなって思いました。

第8章　手術ができる

オランダから帰って1週間ほどで、また新千歳空港へ向かっている。みずきも一緒だ。すい臓がんの手術のセカンドオピニオンで、富山の病院へ行く。

北海道で外科の先生に手術の説明を受け、日程についても大体この辺りでという提案を受けていた。ただ、やはり手術の日にちを決める根拠が乏しいような気がしていた。

手術の日にちに迷って気持ちを決めきれずにいるとき、富山にすい臓がんで有名な病院があるのを思い出した。

富山の病院の話は、がん発覚当初から数えきれないくらい聞いていた。

手術に強い病院ということだったのでスルーしていたが、今回いよいよ手術ができるようになり、セカンドオピニオンの予約を取ったのだった。

富山のF先生はかなりの名医だという話だったので、僕としては富山で手術を受けるという選択もあると考えていた。しかし、みずきとしては、「北海道の先生も信頼できるし、知らない土地で1カ月も入院するのは……手術終わって戻ってくるのも大変そうじゃない？」と北海道での手術を希望していた。

治療方針の最終決定権はみずきにあると僕は思っているので、今回はあくまで日程の相談の予定だった。

病室に入るとすごい目力の、生命力溢れる先生が迎えてくれた。この人がF先生だ。微笑みながら穏やかで自信に溢れた声で自己紹介し、座るよう促してくれる。絵に描いたような「凄腕の外科医の先生」という雰囲気で、いきなり信頼できそうな気がしてきた。

先生はみずきの治療がうまくいっていることを褒めてくれて、「結論から言えば、今手術をしていいタイミングだと考えています」と続ける。

先生によれば、まずすい臓がんのコンバージョン手術の通説となっている「8カ月抗がん剤をしてから」という話はかなり昔に言われ始めたことらしい。

すい臓がんはひと昔前は診断されれば死亡確定というほど難しいがんで、ほんの30年ほど前までは患者本人には告知すらされなかった。

しかし、ここ10年くらいですい臓がんの治療は急速に進歩してきている。

みずきが受けているフォルフィリノックスが日本で使われ始めたのが2013年頃で、その後少しずつコンバージョン手術までたどり着ける患者が出てきた。そうなったときに「いつ手術するのかの基準がない」と学会で話し合い、今までの症例をもとに出した数字が「8カ月」なのだとか。

ただ、そのときはまだまだコンバージョン手術の実績が少なく、医学的根拠というには症例数が少ない中、とりあえず決められた数字だ。なのでいったん8カ月という数字は忘れて大丈夫とのことだ。なるほど。

「私たちの病院では、積極的にコンバージョン手術に取り組んできました。その結果積み上げてきた症例の中から、〝今だ〟という時期を見極めて手術を行うようにしています」と、F先生は言う。

「みずきさんのCT画像を見ると信じられないほど抗がん剤が効いている。あとは次に撮る予定のPET検査の結果で遠隔転移が見られないこと、腫瘍マーカーのCA19―9とDUPAN―2の数値が正常化していれば、今が手術のタイミングだと思います」と続けた。

「僕としてはせっかく手術ができるかもというところまで来ているのなら、いち早く手術を受けたいと考えています。その腫瘍マーカーの数値が悪かったら手術しないほうがいいのでしょうか？」と先生に聞くと、

「旦那さん、目的はなんですか？　手術を受けることですか？　違いますよね。みずきさんの病気を治すことが目的です。そのために一番いい時期を一緒に見極めましょう」

静かに答える先生の声で、また涙が溢れる。

初めて「手術」という希望を見せられてから、その希望にすがり付いてきた。絶望の中見えたわずかな光を逃すまいと祈るうち、焦りのように手術を受けることが目的になってしまっていた。

だがこの先生はみずきの病気を治そうと言ってくれた。

「先生のところで手術を受けるということは可能なのでしょうか?」と震える声で聞くと、

「もちろん大丈夫です。すい臓がんのような緊急性の高い手術の場合、日程を優先的に空けて手術するようにしています」と答えてくれる。

また、すい頭十二指腸切除術の術中死亡率は3%だが、肝胆すい外科高度技能専門医の認定を受けている医師に執刀してもらえば、死亡率は1%を切るらしい。

「ちなみに先生はもちろんその認定を受けてらっしゃるんですよね?」

と冗談めかして聞くと、

「僕は認定する側です」と笑って答えてくれた。

丁寧にお礼を言って診察室を出て、みずきに尋ねる。

「どう思う?」

「富山で手術受けようかなと思った」

今日話してみてこの先生にお願いしてみたいと思ったとのことだ。

みずきは富山で手術を受けることになった。

富山から戻って数日後。朝起きて、ふたりで出かける準備をする。手術を見据え、休薬期間に入っているみずきはとても元気だ。かなりドキドキしている僕とは違って、ケロリとした表情で朝の日差しを浴びながらお化粧をしている。

今日はPET検査の結果を聞きに行く。

PET検査の結果次第で手術ができるか、やはりもう少し抗がん剤を続けるかを決める。

富山で反省した通り、手術は目的ではなく手段だ。そう自分に言い聞かせ、自分を落ち着かせる。

病院に着き、お義母さんと合流。3人でいつもの待合室で順番を待つ。

診察室に入ってすぐ、「PET検査の結果は良かったですよ」と先生が言う。

いつも先生は結果を先に教えてくれる。画像を見せながら、

「若干このステントの周りが光ってますが、これはまあ普通にあることなので問題ないでしょう。他に遠隔転移もありませんし、原発巣のすい臓のがんもほとんど消えています。すぐにでも手術したほうがいいでしょう」

肩の力が抜けると同時にいよいよ手術かと思うと手が震える。

「原発巣のがんがほとんどないのに、やっぱり手術ですい臓を取らないといけないものなので

しょうか？」

往生際悪く聞いてみる。

「すい臓がんで手術せずに根治ということは普通あり得ませんね。ここまで来られたのが本当にすごいことなので、僕は手術してがんを取って根治を目指すべきだと思います。抗がん剤がいつまで効くかもわからないし、転移してからでは遅いから」

珍しく先生の声は熱を持っている。

僕もわかっているのだが、今からみずきの受ける手術の痛みを想像するとなかなか声が出ない。

「私は大丈夫だよ、やっぱりがんが体の中に残ってるかもしれない不安を抱えたまま過ごすのは嫌だし、手術して元気になりたい」

いつもみずきのほうが、僕より覚悟が決まっている。

前回から10日ほどで再び富山空港へやってきた。

手術のため、ではない。前回受けたのはセカンドオピニオンだったので、転院する場合は、外来で診察を受ける必要があるそうだ。

そこで、せっかくなら富山観光をしようと診察の1日前に富山入りした。レンタカーを借り、菅沼合掌造り集落へ向かう。

山道をしばらく走るとこじんまりした合掌造りの集落が見えてきた。

白川郷ほどしっかり観光地化されておらず、穏やかな空気が流れる小さな村だった。

実際に人が住んでいる家もあって、カラフルな子どもの自転車が合掌造りの家の玄関に並べられている。

みずきは大好きな五平餅を頬張り幸せそうにしていた。

夜は高岡へ行き、初めての「富山ブラック」を食べる。

「すい臓がん患者が、こんなに真っ黒なラーメンを食べてると知ったら、アンチ激おこだね」

ふたりで笑いながら啜る富山ブラックは、見た目ほど味が濃いわけではなく出汁が効いていておいしかった。


病院で改めて手術の説明を受けた。

説明してくれたのはS先生で、F先生とは対照的に線が細く優しそうで、外科医感があまりなかった。しかし、F先生によれば非常に優秀な先生のひとりらしい。

みずきが受ける手術はすい頭十二指腸切除術。

すい臓の3分の2を切り取り、他に十二指腸、胆のうも切除する。切り取ったすい臓、胃は下から持ち上げた小腸と繋げる。

入院は最短で2週間だが、普通1カ月かかる。

一番厄介なのは縫合した部分からすい液が体内に漏れることで、すい液は他の臓器も溶かしてしまうので非常にまずい。そのためドレーンと言われる管をお腹から3本くらい出してそこからすい液を排出する。

「ちなみにそのドレーンはどうなってるんですか？　ブスッと刺さってる感じなんですか？」

恐る恐る尋ねると、

「ブスッと刺さってます」

爽やかに先生が言う。

やはり思ってた以上に大手術だった。


その夜は宿の近くの居酒屋『吟チロリ』へ。

前回セカンドオピニオンで来たときにたまたま入った居酒屋だったが、あまりの旨さにこの短期間でリピートした。

富山湾は天然の生け簀《いす》と言われるほど水産資源が豊富だ。その豊富な資源を余すところなく活かした料理が絶品で、刺身はどれも旨い。

他にも白エビの天ぷら、アジの肝和え、地ダコのすり身揚げ、ノドグロの塩焼き、そしてみずきの一番のお気に入りは新鮮なホタルイカの沖漬け。普通の沖漬けのようにドロっとした感じがなく、噛んだ瞬間弾けて新鮮なのがわかる。

「次来たときは食べられないから」と、みずきはこれでもかと富山グルメを食べまくっていた。

宿泊したホテルは「夜鳴きそばとアイス無料」という謎の大盤振る舞いサービスがついていたが、「こんなに食べたから夜鳴きそばは無理だね」と笑うと、

「何言ってるの？　夜鳴きそばも食べるに決まってるでしょ」

みずきは真顔だった。

宣言通り、宿に戻り温泉に入った後で夜鳴きそばという名の中華そばをずるずる啜っていた。

すい臓が3分の1になっても、こんな風にたくさん食べられるようになりますように。

この頃ではすっかりアンチの存在にも慣れてしまっていたが、いまだにみずきを詐病と疑っている人がいて騒いでいる。特に海外に行った動画を公開し始めてから再過熱している。

正直もうどうでもいい気持ちもあったが、「がんなんて嘘」と言われることだけは、どうしても納得できなかった。

がんが嘘だといいのに、と、僕がどれだけ思っただろうか……。

そこで、押川《おしかわ》先生という、がんについていろいろYouTubeで発信している先生にコラボをお願いした。

先生は今まで独自に僕たちのチャンネルについて解説してくれていて、「がんの症状も治療

も個人差が非常に大きい。サニージャーニーさんを嘘と言う人がいるが、それは自分の身近な人と比べて信じられないだけ。すい臓がんでも抗がん剤が奏功して症状が落ち着いていれば海外旅行は可能だ」と僕たちを擁護してくれていたのだ。

コラボ依頼を出すと「公開セカンドオピニオンという形はどうでしょう？」と提案してくれた。

主治医の先生にお願いし、通常のセカンドオピニオンと同じように資料を用意してもらい、がん医として押川先生にセカンドオピニオンを受けて、それを公開するという手順だ。

先生は今までに何度も、公開セカンドオピニオンをしたことがあるらしい。

確かにその方法であれば、これ以上にないほど確実に証明できる。その上、主治医の名前や病院名が入っている資料は押川先生が見るだけで済み、専門医の目でみずきの状態をはっきりと伝えてもらえる。

押川先生にお願いし、Zoomで公開セカンドオピニオンを受けその様子を自分たちのチャンネルで公開した。

ここまで完璧な証拠を出しても、それでも嘘だという人は出続けた。一度も動画を見もせずに叩いていたりする人もいるらしいから信じられない。

しかし、これで今後嘘だと言われても「現役がん医の先生に証明してもらってます」と言えるようになった。

嘘だという声はなくならなかったが、僕たちの気持ちはだいぶ軽くなった。

今日はみずきの誕生日だ。

本来F先生から提案された入院予定では病室にいる頃だったが、「その日はみずきの誕生日なんで、ずらすのは難しいですか？」とお願いしたら快諾してくれた。

そんなわけで誕生日会と手術の激励会を兼ねて、人生初の割烹料理屋さんを予約した。

『御料理ふじ田』は住宅街に隠れるように佇んでいる。

店の入口への小道を歩いていくと、「いらっしゃいませ」と感じのいい女性が出てきて迎えてくれた。

センサーでもついているのだろうか。

磨き上げられた白木の一枚板のカウンターと壁の一輪挿し、シミひとつない真っ白な作務衣に身を包んだ板前さん。店に入っただけで緊張した。

僕たちの緊張を察したのか大将が気さくに話しかけてくれて、和やかにお料理をいただくことができた。

全ての料理に感動したが、特においしかったのはマツカワガレイのお刺身と塩水ウニ。肝醤油でいただくキンキの握り。締めの焼き鮭とときびご飯も絶品だった。

炭火でじっくり焼いた焼き鮭、とうきびを、キノコと一緒に土鍋で炊いたご飯と混ぜて提供してくれる。

旨すぎて、「こんなに全品感動レベルで作れるのすごいよね」とぼそぼそ話していたら、「そんなストレートに褒められると照れます」と大将がおどける。

楽しい夜はあっという間に更けていき、明日はいよいよ手術のため富山へ向かう。

みずきさんから見てどうでした?

あれ？　手術の話が出てきた⁉

がんと診断されたときに、先生の口から手術という言葉が出なかったので、「あ、手術できないんだ。難しいんだ」と思ったので、それから手術のことは考えていませんでした。

先生から急に手術の話が出てきて、私は「あれ？　手術の話が出てきた⁉」って（笑）、びっくりして。でも多分先生からしても想定外だったと思います。

何よりもこうちゃんがすごく喜んでくれて、それが嬉しかったです！　手術ができるよっていう話よりも。

私自身はそんなに深く考えてなくて、「手術やるんだー」って思ってからは、目の前に提示された、やるべきことをひとつひとつクリアしていくことだけだと思ってました。治療は変わらずに続いているし。

本当は、もうちょっとトレーニングしたほうがよかったんだと思います。体力づくりを。でも、なまけものなので思うように進まず（笑）、当日を迎えたという感じでした。

そういう意味では普段と同じように、手術の日を迎えました。

手術を受けるという経験が初めてだったのですが……でも当日もそんなに不安とかもなくて（笑）。なんか「どういう風にメスが入るんだろうね？」って母やこうちゃんと話をしていたんですけど。

手術痕がない状態の、最後の綺麗なままのお腹だから、服をぺろんとめくりあげてベッドの上に立って、「こうかな？　こうかな？」ってなぞって話してるところに先生が来た、みたいな（笑）。それで、「こうだよ」って指し示されて、「ちょっとおへそを避けて……」とか冷静に説明されたという……。

第9章　おかえり、みずき

6月のある早朝、道央道を札幌から空港へ向けて車を走らせる。

みずきは寝ぼけ眼《まなこ》で助手席でお化粧をしている。

予定では術後1カ月の入院なので、僕も富山に部屋を借りた。

1カ月マンスリーアパートを借りるのもなかなかの出費だったが、みずきが頑張っているときにそばにいられないのは辛いので、富山で退院まで暮らすことにした。

それこそマシューちゃんで車中泊生活をしようかとも考えたが、あまりに目立ってしまうので、みずきが富山で入院していることがバレてしまう。

空港へ着き、みずきを搭乗口まで見送る。

僕はカーフェリーで苫小牧から新潟へ向かう。

先にお義母さんが富山入りしてくれていて、空港でみずきを迎えてそのまま病院まで送ってくれる。

幸いコロナも落ち着いてきているので、入院中も面会は可能なようだが、いったんここでみずきとはお別れだ。

搭乗ゲートの前で「気をつけてね」と声をかける。

「こうちゃんも気をつけて富山まで来てね」とみずきが抱きついてくる。

数カ月前、関空で別れた日のことを思い出した。

あのときは出口のない暗いトンネルに入っていくような気分で、二度とみずきに会えないかもしれないと感じた。

だが、今は違う。

真っ暗だったトンネルは出口がうっすら見えてきていて、その先には明るい未来が待っているはずだ。

「じゃあ明日ね」とみずきが搭乗ゲートをくぐっていった。

いったん家に帰り、1カ月の単身赴任（?）準備を整えて苫小牧港へ向かう。

船は去年北海道にやってきたときと同じく豪華な内装で、ジムや大浴場などがついている。

普通であればのんびり船旅を楽しみたいところだが、明日までに仕上げなければいけない案件の動画があるのでひたすら編集をする。

みずきは入院後すぐ処置を行う予定だ。

海外渡航前に入れ直した金属胆管ステントだが、手術の際は菌の温床になりやすいらしく除去する。そして、胆管から体の中に管を通して鼻から出し、胆汁を体外に排出するらしい。

この処置をしておくと術後の合併症のリスクが下がるそうだ。

体内から管を通して鼻から出すなんて聞いただけで痛くなってしまうが、

「たらり〜、鼻から胆汁〜♪になりました」と、鼻から管が出た写真がみずきから送られてきた。

元気そうでよかった。

天候は荒れ模様だったが船は順調に進み、次の日の朝には新潟へ到着した。

翌日、富山まで高速を走り、これから1カ月の住処となるマンスリーアパートへ。

鍵を開け、中に入ると古いアパートの匂いがむっと漂ってきた。

学生のとき、一人暮らしの先輩の家に遊びに行ったときのあの匂いだ。

室内はまあ綺麗ではないが住めないほど汚くもなく、必要最低限の設備は整っていた。洗面台に大量の羽虫が死んでいるところに目を瞑れば、快適に過ごせそうだ。

みずきと面会しに病院へ向かう。

みずきは今やがん界隈ではかなり有名人になってしまっているので（F先生も実は最初から

知っていたらしい)、大部屋では落ち着かないと思い個室を取った。

面会時間は制限があるが、個室なので人目を気にせず話ができるのはよかった。

個室のドアを開けるとみずきがベッドで寝転がっていて、「いらっしゃーい」と声をかけてくる。表情は穏やかだが、鼻からは管が出ていてすでに痛々しい。

「ここから胆汁出てるんだよ。胆汁見られるなんて恥ずかしいね」

みずきが指差す先には管の先に繋がった袋がぶら下がっていて、胆汁らしき黒っぽい液体が入っている。

思ったよりたくさん出ていることに驚いた。

鼻の中を管が通っているのだから変な匂いがするのかと聞いてみたが、特に匂いはないが、喉に異物感があり食欲が湧かないらしい。

『ＯＮＥ　ＰＩＥＣＥ』の単行本を一杯に詰めてきた段ボールをソファに置くと「やったー！　読みまくるぜ」と喜んでいた。

胆管ステントの処置や手術前の検査をするため手術日より少し早く入院したので、手術までに一気に読みまくるそうだ。

数日後に大手術を控えているとは思えないほど、みずきは元気そうだった。

数日後、手術のオリエンテーションを受けに病院へ行く。

改めて聞いても想像を絶する大手術で、みずきが明日この手術を受けるなんて信じられない。みずきのお腹を切り開き、その状態のまま何時間も内臓を切ったり縫ったりするなんて……今すぐ中止にしたかった。

病室ではみずきもお義母さんも明るく振る舞っていて、短い面会時間の間、会話は絶えなかった。ふたりが明るくしているのだから、僕が暗くなっても仕方ないと冗談ばかり言っていた。

病室を出て駐車場までの道で、「信じられない手術ですね」「祈るしかないよね」とお義母さんとふたり静かに話しながら歩く。

泣いても笑っても明日は手術だ。

確率としては1％未満だが、術中に亡くなる方もいる。

お義母さんと別れ車に乗り込むと、急に重力が倍になったような感じがして、スーパーで数カ月ぶりの酒を買った。

アパートに戻り虫だらけの洗面台で手を洗い、静かな部屋で黙って酒を飲む。

うまくいきますように。

夜中、雷の音で目が覚める。

すごい量の雨が降っていて、爆発のような雷の轟音が断続的に聞こえる。

みずきは雷が苦手なので、心配になってＬＩＮＥするが返事はない。

鳴り響く雷の音にしばらく眠れず、気づけば空が白んでいた。

目が覚めると、「すごい雷、みずき大丈夫？」という昨日送ったＬＩＮＥに「え？笑」と返信が来ていた。時間は6時20分。

気づかず寝ていたようでよかった。

手術前の面会のため、8時少し前に病室へ行く。

手術当日とは思えないほどみずきは明るく、「どうせみずきは寝てるだけだから、あとは術後の未来のみずきに託す」と笑っている。

おもむろにベッドの上に立ち上がり、手術着をめくってお腹を見せる。

「傷がないお腹は最後だから、こうちゃんに見せとこうと思って、どう？」とふざけている。

そのまま鏡のほうを向き、「どうやって傷が入るんだろうね？　こう？　いや、きっと縦だよね、じゃあこう？　おへそは？」とどんな風にお腹を切るのか予想している。

ガラリと戸が開いてＳ先生が入ってくる。

「何やってるんですか」とベッドの上で立ち上がってお腹を出しているみずきを見て笑う。

「いや、お腹どんな風に切るのかなと思って……」と照れ臭そうにみずきが言う。

「こうですね」とＳ先生がみずきのお腹に指で切り方を示す。

「あ、おへそは避けるんだー！」

S先生と入れ替わりでお義母さんが入ってくる。

お義母さんが来てすぐ、看護師さんがみずきを呼びに来た。

みずきと僕とお義母さんと3人で、看護師さんの後について手術室へ向かう。

手術室へ歩いて向かうのにもなんだか驚いた。

手術室と表示のある自動扉があり、ここでみずきと別れる。

「がんばってね！」

「がんばって！」

「いってきます！」

みずきは手術室の中へ入り、椅子に腰掛ける。

みずきが腰掛けたと同時に扉が閉まり、みずきの姿が見えなくなる。

ここの病院には手術の待合室がないらしく、病院内でなくアパートに帰って待機することになる。ただし、手術開始から1時間は病院内にいてほしいと言われた。

手術が始まったら、切り取る予定のリンパの端っこの細胞を採取して顕微鏡でがん細胞がないかどうか調べるらしい。その時点でがんが見つかれば、その先のリンパにも転移している可能性が高いので手術は中止となりお腹を閉じる。

つまり1時間以内に病院側から連絡が入れば手術は中止、北海道へ戻り抗がん剤を続けなければならなくなる。

この場合、内臓を切除するわけではないので、通常通り手術をしたほどのダメージはないだろうが、開腹しているのだからそれなりにダメージは受けるはずだ。そうならないことをただただ祈る。

お義母さんと一緒に、病院内のカフェでコーヒーを飲んだ。

中庭が見えるように配置された席に座り、植木に雨粒が落ちるのを見ていた。

気を紛らわすためお義母さんに話しかける。

「そろそろお腹切った頃ですかね？」

「さすがにもう切ってるよね。大丈夫かな……」

会話は続かず、ふたりで雨に濡れる植木をまた見る。

1時間が経過し、念のためもう30分待っても病院からは連絡がないのでいったん病院を出てお義母さんとは別れた。

病院のそばの神社へ行き、手を合わせる。

普段全く信仰心などないのに、こんなときばかり祈る。

神様も苦笑しているだろう。

苦笑しても呆れても構わないから、みずきの手術がうまくいきますように。

部屋に戻りPCを開くが焦点が合わず、編集画面をずっと見つめる。

そうこうするうちに、お義母さんとの約束の時間がきたのでアパートを出て一緒に昼食を食

全然食欲はないのだが、「手術に勝つためにトンカツを食べに行きましょう」と提案して
べに行く。

Googleマップで調べた適当なトンカツ屋さんに入った。

トンカツは昔ながらのしっかりとした揚げ色をしていて、馴染みのある味だ。

そんなに食欲はなかったが、ほんの少しでも験《げん》をかつげるよう、残さず平らげる。

まだまだ手術の終わりまで時間があったので、僕の部屋でふたりで待った。

病院からの連絡は僕のスマホに入るので、お義母さんも一緒にいたいのだろう。

部屋で僕は一応PCを開いてノロノロ編集作業をし、お義母さんはタブレットを見ている。

何度スマホを見ても全然時計は進まず、「今、何をしてるところかな?」「全然わからないですねー」とたまにつぶやいてはそれぞれの作業に戻る。

時計が16時を過ぎたところで、「手術終了予定時間の前には病院行こうか」と、ふたりで病院へ向かった。

病院の駐車場に入り、車を停めようとしていたところでスマホが鳴る。

手術が終わるにしては早すぎる時間だし、何か悪いことでもあったのだろうか。

慌てて車を停め、スピーカーにして電話に出る。

「今、手術終わりました。万事うまくいきました」とS先生が穏やかに伝えてくれる。

一気に体中の力が抜け、スマホを持つ手が痺れる。

「よかった、よかったです、ありがとうございます！！！」

今ちょうど病院に着いたところだと伝えると、ＩＣＵ（集中治療室）に来てもらえば面会可能だという。

ふたりで病院内に入り、ＩＣＵの扉の前で少し待つ。

「いやあよかったですね」

「本当によかったね。これで一安心だね」

何度目かの嬉しい会話をしていると、看護師さんが出てきてＩＣＵ内に案内してくれた。

すぐみずきの部屋に行くのかと思ったら、小さな会議室のような所に通され、Ｆ先生とＳ先生が手術着のまま立っていた。

「とりあえず術後の報告としては、全てうまくいきました。万事計画通りでした」

ふたりとも明らかに顔に疲れが滲んでいて、Ｓ先生は壁にもたれかかっている。

ふたりの先生の様子を見て、いかに手術というものが大変かがわかり、胸が熱くなる。

「本当にありがとうございました」。やっぱり涙が滲んでしまう。

手術時間は大幅に短縮され、実質6時間で終わったそうだ。

正確な結果は切り取った臓器を生検に出さなければわからないが、目で見た限りがん細胞らしきものはなかったそうだ。

つまり、他の目に見えない箇所への転移の可能性も低いということ。

「考えられる限り、最高の形で手術を終えることができました」と言うF先生を見て、富山に来てよかったと心から感じた。

改めてふたりの先生にお礼を伝え、みずきの病室へ向かう。

カーテンで仕切られた機械だらけの部屋のベッドに、みずきはいた。

ドラマでしか見たことがない酸素吸入器、顔まわりだけでもかなりの数の管がみずきから出ているのがわかる。

布団がかかっているが、体にはさらに多くの管が繋がれているはずだ。

あまりの姿にどこか現実感がない。

ぼんやりと目を開けているみずきに「大丈夫だった？　気分はどう？」と笑いかけると、「いい気持ちだよ、全然痛くない」と意外な答えが返ってきた。

「そうなんだ。麻酔が効いてるのかな？」

「どうなんだろ、今何時？」

「今は6時過ぎだけど、手術終わったのは4時過ぎだと思うよ」

「え、早く終わったんだね」

思ったよりずっとしっかり会話ができていた。

全身麻酔明けに錯乱して暴れる人がいたり、記憶がなかったりすることがあると聞いていたが、みずきは大丈夫そうだ。

「なんかね、すごい寝覚めが良かった。幸せな夢を見てたの」。みずきが言う。『ＯＮＥ　ＰＩＥＣＥ』に出てくる海ネコ（巨大な猫のような海獣）に追いかけられて逃げている夢だったらしい。

かなり怖そうな夢だが、本人としては幸せな楽しい夢だったようだ。

長い面会はまだ無理だったので、10分ほどでＩＣＵを出た。

駐車場へ向かう道すがら、「よかったですね」「よかったね」とお義母さんと言い合ううちに、手術が成功したのだと実感が出てきた。

ただ、その夜からみずきの地獄は始まった。

ここから退院までは僕はひたすら仕事して、見舞いに行って、仕事して、見舞いに行っての繰り返しだ。退院が近づく日々の様子を、みずきのメモを元にお伝えしよう。

術後当日

10時過ぎまでは痛みもなくテレビを見たりしていた。しかし、麻酔が切れるにつれ痛みが増していき、痛くて痛くて寝られないほどの痛みだった。看護師さんにお願いして痛み止めを増やしてもらっても効果がなく、痛くて泣いていた。

術後1日目

まだＩＣＵ。変わらず痛みが強い。痛くて何もできず、同じ姿勢のまま動くこともできない。夜に痛みが強くなる。

術後2日目

重症者室へ移る。

変わらず痛みが続いている。ＩＣＵから出てスマホを使えるようになる。

夜に痛みが強くなり、1時間ぐらいしか寝られなかった。朝方痛み止めを打ってもらい眠る。

首に繋がる経腸チューブから全ての栄養をとっている。お腹に力を入れるのが痛いので全く動けない。人間、動く時には必ず腹筋を使っていると実感する。

リハビリが始まり、看護師さんに支えられ足踏みする。痛すぎて泣いてしまう。大人なのに……。本来、歩行練習を始めるタイミングだが、痛みが強くまだ始められない。

早く歩けるようになって、こうちゃんとおいしいもの食べに行きたい。カツ丼や焼肉などガッ！　としたものが食べたい。

でも内臓を切ってると思うと食べるのがちょっと怖い。『ＯＮＥ　ＰＩＥＣＥ』のゾロはお腹切った直後に樋を持ち上げてたけど、あいつはとんだクレイジー野郎だ。

術後3日目

ＣＴを撮る際のベッド移動があまりに痛く、落ち込んでお見舞い拒否。こうちゃんも母さんも心配しているが、ＬＩＮＥすら返す気にならない。もう今日はリハビリも絶対しない。発病後初めて心が折れた気がする。

しかし、その後久々に動画のコメントを見たら、視聴者の方からの励ましのコメントがたくさんで、「やっぱり頑張ろう」と思う。こんなにも応援してくれてる人がいるのだから頑張らねば。夜にリハビリもする。術後初めて水を飲む。

術後4日目

背中から出ていた点滴が抜ける。また、お腹から出ている管（すい液を排出するドレーン）を交換する。お腹から直接管が出ていてなかなかグロテスクな見た目。怖い。

そしてドレーン交換がものすごく嫌。

おしっこの管も取りたいと言われたがお断りした。歩いてトイレまでいける自信がない。

まだ歩けないが支えられリハビリを続ける。

動けないのに飽きてきて、うたた寝するたび、めちゃくちゃ動けるようになった夢を見る。

痛み止めが飲み薬に変わる。

術後5日目

お見舞いでも笑顔を見せられるようになり、少しずつ元気になってきた。スマホで映画を見始める。痛みが強くなかなか動けないが、「動かないと肺炎のリスクなど高まるのでもう少し動くように」と先生に強めに言われる。

経腸チューブが抜ける。重湯少し、味噌汁少し、豆乳少し食べる。

熱が何度も出ていて、その原因がＣＶポートかもという事でＣＶポートを外す手術をする。

術後6日目

今までおしっこは管から排出していたのでトイレに行かなくても問題なかったが、少しご飯を食べ始めたから、うんちに行きたくなる。ナースコールして「うんち出そうです！」と言うのも恥ずかしく、初めて自力で歩いてトイレまで行った。人間、追い詰められればできるものだ。

歩き始めたら急に元気になってくる。管もだいぶ抜け、人間を取り戻しつつある。

こうちゃんと一緒に病室からエレベーターホールへ歩く。『ＯＮＥ　ＰＩＥＣＥ』を再開する。ご飯は三分粥。

術後7日目

ドレーンが3本から2本に。2日に1回のドレーンの交換が本当に嫌だ。『金曜ロードショー』で大好きな『インディー・ジョーンズ』を見る。元気出た。

術後8日目
五分粥になる。気持ちは元気だがご飯が食べられない。

術後9日目
ご飯何食べてもいいと言われたので、果物の差し入れをしてもらう。昨晩、初めて1度も起きずに眠れた。こうちゃんが「コーヘーイーツでなんでも買ってくるからね」と言ってくれる。明日傷口から膿《うみ》を出す処置をするらしい。傷口をつんつんしてぶちゅっと膿を出す処置なんだとか……。ぶちゅって……膿なんか溜まってないもん（願望）。

術後10日目
先生がやってきて「一応痛み止めの注射持ってきたけど、麻酔の方が痛いかもよ？　どう？僕を信じてみる？」と言う。王子様？
傷口を押され、膿を出し、傷口が開いてるところにスポイトみたいな注射を刺され、膿を吸われる。見た目はやばかったけど、先生の言う通りそこまで痛くなかった。信じて良かった。

術後13日目
術後初めてお風呂に入る。頭がめちゃくちゃ痒《かゆ》かったので、2週間ぶりのお風呂は気持ち良すぎた。
だいぶ歩けるようになって病院内を散歩する。

術後14日目
コーヘーイーツにミスドの差し入れをお願いする。久々のミスドおいしすぎる。病院食はもう飽きた。
2日に1回のドレーン交換が憂鬱。
こうちゃんは律儀に面会時間（コロナ対策でかなり短い）を守って帰ろうとするので阻止する。それでも帰ると言うので（真面目な男だ）エレベーターまで歩いてデートした。寂しいし飽きたし早く退院したい。

術後16日目
こうちゃんが七夕の笹と短冊を差し入れてくれる。こうちゃん、母さん、看護師さんに願い事を書いてもらおう。

術後17日目

こうちゃんが紫陽花《あじさい》を差し入れてくれる。お花が枯れてくると新しい花を買ってきてくれる。ご飯が食べられるようになってきたので、栄養と抗生剤を入れていた点滴が抜ける。ガラガラを押さなくてよくなったので、めっちゃ身軽だ。

こうちゃんと一緒にコンビニに行くなどお見舞いの最後に病院内を散歩する。デートだ。

地元で入院している人なら退院してもいいくらい順調らしいが、遠方なのでドレーンが抜けるまで入院。

術後18日目

ドレーンが残り一本に。あとちょっとだ!!

看護師さんが書いてくれた「結婚式が晴れますように」という短冊を見てこうちゃんが勘違いしていた。今のところやる予定はないのに、自分たちの結婚式だと思ったらしい（笑）。短冊にお願いを書いた看護師さんは、もうすぐ結婚式を挙げるんだとか。綺麗な方だからきっと素敵なウェディングドレス姿になるだろうなぁ。

術後20日目

ついにドレーンが全て抜ける。これでドレーン交換がなくなると思うとめちゃくちゃ嬉しい。検査して問題がなければあと数日で退院できる。通常1カ月だが、長ければ数カ月かかる人もいるという話だったので、順調にきて嬉しい。

術後21日目
唐突に明日の退院が決まる。いよいよ自由になれる！　退院したら看護師さんにお勧めされた富山ブラックのお店に絶対に行く!!

朝早くに目が覚める。いよいよみずきが退院だ。

窓の外は小雨が降っているが、荷物を運んだりするのに大変なほどではない。

みずきは数日、富山観光を楽しみたいらしいのでホテルを取った。

1カ月暮らしたこの家ともお別れだ。少しの寂しさを感じつつ、歯を磨こうと洗面台を見ると、数日前に掃除したのにまた羽虫が大量に死んでいる。

ここを出られるのは嬉しいかも……。

家を片付け、病院へ。土曜日なので院内には人気《ひとけ》がなく、しんとしている。

病室へ行くとすでにお義母さんが来ていて、みずきも退院の準備は終わっていた。

グレーのワンピースに白い帽子を被り、お化粧もしている。

1カ月ぶりに見る、私服のみずきはかわいい。

お義母さんと一緒に荷物を車へ運ぶ。かなりの大荷物だ。

看護師さんが部屋の忘れ物チェックをしてくれて、退院手続きは完了。

担当の看護師さんにお礼を言う。例の結婚式の短冊を書いた看護師さんらしい。

1カ月入院しても退院は意外なほどあっさりで、ドラマで見るように病棟のスタッフ全員でお見送りしてくれるわけではない。

担当看護師さんが「お大事に」と微笑んでくれて3人でお礼を言ってエレベーターに乗る。

なんと、みずきは今日のお昼は富山ブラックと決めているらしい。「めん八」という看護師さんに教えてもらったお店で富山ブラックを食べるため、高岡へ。

お店の前には椅子が並んでいて、数人が座って並んでいた。みずきとお義母さんは座り、僕は椅子がなかったので立って順番を待つ。

店内に入るとカウンターのみのこぢんまりした店で、ラーメンは驚くほど黒い。

今まで食べた富山ブラックに比べれば本格派で、おいしいが、ご飯がないと食べられないほどしょっぱい。

こんなの退院してすぐ食べられるのかと心配していたが、「めっちゃおいしい」と言いながらズルズル食べ進め、なんと一人前完食してしまった。

みずきの食への執念は凄まじい。

今日は高岡で七夕まつりが開催されている。雰囲気だけでも味わいたいとみずきが言うので3人で高岡七夕まつりへ。商店街が会場になっていて、ほどよい賑わいだ。

雨が上がった空の、大きな七夕飾りは見事だった。出店からいい匂いが漂っているがお腹はいっぱいだ。

「あー。お腹いっぱいにしてくるんじゃなかった……」と、みずきは出店を通り過ぎるたび残念そうにしていたが、やはり我慢できなかったようで、ベビーカステラといちご飴を買った。

「今年は夏祭り行けないと思うから、今のうちに楽しんどかないと」

と、ベビーカステラを頬張る。

商店街が終わるところで出店も途切れていて、また雨がパラパラと降り始めてきた。

「駐車場遠くてみずき大変だから」とお義母さんが車を取りに行ってくれた。

歩いてすぐのところに戸出《といで》という駅があるようなので、そこで雨宿りできるかもしれない。

踏切を越え、少し歩くと、瓦屋根のこぢんまりとした駅舎が見えてきた。

駅舎に入ると、木のベンチ、古ぼけた壁、色褪せたポスターと昭和にタイムスリップしたかのようだ。

ベンチに腰掛け雨宿りさせてもらう。

薄暗い駅舎の中から見ると、外は雨でも明るく、バスを待つ高校生のカップルが光に包まれているように見える。

青春真っ只中のふたりを見て、「こうちゃんが高校生のときにタイムスリップしたいなー」とみずきが言い出した。

「タイムスリップしてどーするの？」

「みずきは記憶残ったままで、体は高校生なの」

それって、タイムスリップなのだろうか？

「それでね、こうちゃんを見つけて、いきなり背中にどーんと体当たりして、みずきだよっ！　って言うの。それで、どんな反応するか見たい」

「それ俺は記憶ないんだよね？」

「うん！　面白そうじゃない？」

「そこの学生に体当たりしたらどんな反応かは大体わかるよ」と笑うとみずきも声を出してケラケラと笑った。

お義母さんから、駅の前に着いたと連絡が入り外に出る。

笑い合っているうちに、雨は上がっていた。

みずきさんから見てどうでした?

大好きなアリエルに見送られて夢の中へ

いよいよ手術室に入って、全身麻酔をかけられるという直前に、「何かかけてほしい音楽とかはある?」って聞かれたんです。特に思い浮かばなかったので「なんでもいいですよ」って答えたんですね。それで麻酔を受けたところで、手術室内に実写版の『リトル・マーメイド』の『パート・オブ・ユア・ワールド』が流れてきたんです!

「わぁっ! めっちゃ好きな曲だぁ!」って思いながら、意識がなくなっていったのを覚えてます(爆笑)。

そのおかげでもないでしょうけど、意識が戻ったときは……なんか幸せな気持ちでした。

8時間くらいかかる予定だったんだけど、思ったよりも早く終わったみたいで……6時間くらいで終わって。

私は朝が弱いんですけど、そのときはすごく寝覚めが良かったんです。「毎日これで起きたい!」って思うくらい幸せな、いい目覚めでした。手術室で目覚めて、そのままガラガラ~ッってベッドごと移動して、こうちゃんと母がいるところに連れて行ってもらいました。

この治療中、初めて心が折れました!?

でもその後、半年以上ずっと検査や治療をやってきた中で初めて心が折れた気がしました。というのも、手術直後からめちゃくちゃ痛くて、涙流しながらリハビリしてたんです。

CTを3日目に撮ったんですけど動けないくらい痛くて、病室のベッドから移動用のベッドに乗り換えるのも、そこからCT室で台に乗るのも痛くて。息をするのも痛いのに、「ちょっと動いてください。足は伸ばせますか?」とかあれこれ指示されて動かされるから、「いや、ちょっと待って! 待って!」ってパニックになっちゃって。最終的に痛み止めを打たれてようやく落ち着いたんだけど、怖いし痛いし、その出来事がショッキングすぎて、病室に帰ったときには「もう誰も信じられない……」ってなってしまって。

こうちゃんと母は毎日、面会に来てくれていたんですけど、人に穏やかに接する余裕がなくなっちゃって、「ごめん。今日は面会なしでいいかな。ちょっと疲れちゃって」って、その日だけ断ったんです。

めっちゃ心が折れて、「もう今日は絶対リハビリしないっ!」って反抗期になったんですけど（笑）。でもそのあと少しして落ち着いてきてから、手術後、初めてYouTubeのコメント欄を見たんですよ。

そうしたら、手術する私に向けてたくさんの方がコメントを送ってくれていて、「同じ手術したよ」「私は帝王切開しました」「すごく痛いと思うけど、薄皮を1枚剥がすように日々良くなっていくから」って、本当にたくさんの方が、自分の経験談や応援の言葉を送ってくださっていて、ありがたくて泣いちゃって。

それを見て、手術を乗り越えて元気になった人はたくさんいるんだと思って、「乗り越えられないものじゃない。痛みで死ぬ人なんていないんだ！」って考えられるようになって。本当に数々のコメントに励まされました。

SNSは時には毒にもなるけれど、私にとっては圧倒的に薬です。

第10章　幸せってなんだろう

あれから半年間の術後抗がん剤治療を経て、現在は経過観察となりました。主治医の先生の言葉を借りれば「このまま5年間再発がなければ、根治と言うこともできる」そうです。ぼんやりと虚《うつ》ろな目をして彷徨《さまよ》っているような人生から、みずきと出会い周りの景色が鮮明に見えるようになりました。

僕にとってみずきは未来を照らす光です。その光を失うだろうと聞いたときは混乱し、絶望し、未来から目を逸らして、みずきが生きている〝今〟だけを見ていました。

この頃では少し先の未来まで目が向くようになり、この本が出るころには、これまで実現できなかった結婚式も挙げているはずです。ここまで応援してくださったすべての方々に、心より感謝申し上げます。

２０２４年2月

みずきさんから見てどうでした?

こうちゃんへ伝えたいこと

私は負の感情がそんなに続かないタイプで……それはたとえば自分が注意されたことに関してもそうだから、子どもの頃はそれで怒られたりもしたんだけど、病気になってからはその性格がいい方向に運んだのかもしれません。

反面、もっと向き合わなきゃいけないことがあったのかもしれないけど、私自身は今のところ楽しく乗り越えていけています。お子さんがいるとか背負うものがある方はまた違うと思いますが、私の場合は周りが大人だけだったので、自分のことを多く考えていられる状態だったっていうことなのかな、とも思います。自分に先々の楽しみを作って、こうちゃんにそれに付き合ってもらって楽しく乗り越えてこられた。

こうちゃんには本当に感謝の気持ちしかないですね。言葉では表せない。そばにいてくれて、変わらず愛を注いでくれて、ありがとうっていう気持ち。

こうちゃんが望んでくれるのであればずっとそばで生きていきたい。おばあちゃんになったときに、そばにおじいちゃんになったこうちゃんがいてくれるって想像するだけで「そんなの絶対楽しいじゃん！」って思えるので、パートナーとして出会ってくれて自分を選んでくれて、私の手を離さないでいてくれたことに、本当に感謝です。

みずきさんの主治医からの言葉

サニージャーニーみずきさんの主治医です。多くのすいがん患者さんを診療していますが、若年の患者さんで非常に珍しいタイプのすいがんであったこと、またサニージャーニーのお二人がYouTubeで病態を公開していたこともあり、普段のすいがんの診療とは違うプレッシャーを感じておりました。幸いにも、確定診断後の抗がん剤治療により非常に良好な効果が得られ、手術ですいがんを取り除くことができ、さらに再発防止のための抗がん剤治療を行うにまで至っております。こんなに治療がうまくいくことあるの？　と思える治療経過であり、このまま再発なく経過することを祈るばかりです。多くの視聴を得ているYouTuberですから、収入はもちろんのこと視聴者からの応援を得られるメリットがある一方、おふたりへの攻撃的な意見が届くとも聞いています。私自身はみずきさんの特殊事情にも慣れて、他のすいがん患者さんと同じように接しています。YouTuberとはいえ死を意識しながら治療にとりくむすいがん患者さんでありますので、温かく見守っていただけると幸いです。

本書の刊行に寄せて　押川勝太郎（宮崎善仁会病院・腫瘍内科医）

サニージャーニーとの接点

がんというのは個人差が大きくて、同じ部位の同じステージでも、経過や副作用の出方が全く違うということが多いです。それで、僕がYouTubeでやっていた『がん防災チャンネル』の中で、特に影響力が強い芸能人の方のがん闘病動画に関して、がん治療医の立場から解説をつける「有名人がん解説シリーズ」という再生リストを自主的に始めたんです。

その一環で、あるときテレビで紹介されていたサニージャーニーを見て、YouTubeでもすごく注目されているし、すいがんで余命まで宣告されているような状況だというので、それが本当にどういう意味なのかということを、主治医ではない第三者の立場の専門家が客観的に解説する意図で、動画を作ってアップしたんです。それを、確かみずきさんの知人がご覧になって、コメント欄を通じてご連絡をいただいたんだと思います。

診療情報やCT、報告書も確認

そしてYouTubeでコラボレーションしようという話が出たのですが、だったらセカンドオピニオンという形にして、主治医の方に診療情報提供書（いわゆる「紹介状」）を出すことにOKをもらえたら、それを元に僕が解説をするということにしましょうとお伝えしたところ、主治医の方から「自由にやっていい」と言っていただけたので、コラボをすることになりました。

提供情報自体はCT画像とそれを専門の放射線科医が読影した報告書、それからERCPという内視鏡検査の正式報告書や血液検査の報告書など、病院による正式な検査の結果が何十枚にもわたってあるわけです。

今回、詐病はあり得ない

それだけ詳細な検査報告は、とてもじゃないけど自分たちで作れるようなものではありませんから、詐病などあり得ない話なんですよね。

その中には、正式な表現として「UR―M」と書かれていました。「UR」は「Unrecectable」の略で「切除不能」、「M」は「Metastasis」で「遠隔転移」のことで、括弧書きで（左鎖骨上窩リンパ節転移）と書き添えられていました。一般に言うステージ4を指す状況を、より専門的な言葉で表していたわけです。

実際にCT画像でも、胆管ステントが入った状態ですい臓周囲のリンパ節がゴリゴリに腫れた、かなり大きな腫瘍が見られました。

みずきさんのがんについて

みずきさんの場合はすい管がん。腺房細胞がんと言っていますけれど、すい液が出るところに発生するがんで、質が悪いがんです。

治療の面で言えば、すいがん患者のフォルフィリノックス治療というのは、とてもキツイ治療なんです。ただこの治療をする多くは60歳以上、でも65歳以上には無理と決まっている治療なんです。

だからシニアのマラソン大会に、若者が紛れ込んだような状況ですから、それはもう群を抜いていい成績が出るはずですよね。普通ならみずきさんのように12回の治療を、2週に1回のペースではなかなかできないです。

通常、ステージ4で遠隔転移のあるがん患者さんは手術できない、手術しても治らないので体に大きな負担をかける手術治療はしません（体力低下で生存期間が短くなる可能性があるため）。でもみずきさんの場合は、若いということが有利に働いて、普通だったらできないことができているということですよね。こんなに若くして発症するすいがん患者は少ないので、それ自体は不運だけれども、不幸中の幸いで、治療そのものはうまくいったということですね。

アンチについて

芸能人やインフルエンサーのがんのニュースにはみなさん興味を持つし、そのうえ一般の方が発信するようになったものが、YouTube の推奨動画にたくさん上がってくる。それが強い影響力を持つようになってしまったから、がん関連学会が行う市民講座のようながん啓発運動より、一般の方が発信する情報のほうがよっぽど強くなってしまった。

YouTube の場合、がんの終末期でどんどん悪くなっている方のチャンネルの視聴数が大きく伸びる傾向があるようです。それはもう、猛烈な勢いで。

そうすると、それだけを見た人には「がんって最後はこんなに悲惨になるんだ」っていう刷り込みが強固になっていくんですね。有名人・著名人のみならず、一般の方々もそうやってがんの情報を発信するようになって、「がんとはこういうものだ」というイメージが定着していく。

やっぱり重要なのは、時代がどんどん変わってきていることです。がん治療も発展しているけれど、がん治療や患者の環境も変わってきている。その変化が急激なものなので、サニージャーニーが注目されていくなか、詐病疑惑をかけられてしまっている。サニージャーニーのアンチの方々も、自分たちの印象が全てだと思い込んで反応している可能性があります。

この本の読者やYouTubeの視聴者も、いろんな情報ひとつひとつに直接反応するのではなくて、複数の情報の中から、正確なことを教えてくれるような、「キュレーター」のような人を確保したほうがいいかなと思います。孤独な人ほど誤った情報に騙されやすいんです。自分の立ち位置がわからないままネット検索ばかりをしてしまうから。

詐病疑惑の理由

結局、「すいがんは悲惨なはず」「治療がすごく大変なはず」とか、「こんな若さで発症するなんて聞いたことない」「抗がん剤治療がこんなに効いて、できないと言われた根治手術までできるなんて」、しかも「海外旅行に行くなんて」と、一般的なすいがんのイメージとはかけ離れているので、詐病を疑う人が出てきたのでしょう。ご自分の家族や知り合いが、すいがんでひどい目に遭ったのを目にしていて、それとあまりにかけ離れているから疑いを持ってしまう。

ところが興味深いことに、医師で疑いを持つ人はほぼいないんですよね。

がん患者さんというのは十人十色、千差万別だということが医療者にはわかりきっているので、こういう経過も確かに起こり得ると思えるし、証拠がなかったとしても嘘だとは言いきれないと思っているから、疑いの声を上げないんですよ。むしろ声を上げたら、ほかの医師から「この人本当に医師かな？　わかってるのかな？」と疑われかねないので。

サニージャーニーが出しているい

ろいろな情報は医学的に見ておかしいところっていうのは本当にないんですよ。一般の方がそう思われるのは、その方の常識があまりにも狭すぎるから。「私の知っているすいがんのケースと違う」と思ってしまうんですよね。すいがん、すい臓がん、すい管がん……名称はいろいろありますが、基本的には全てすいがんです。

がん患者の旅行について

治療中に、みずきさんが海外に行かれたことも、確かに健康な方に比べればリスクは高いんでしょうけど、治療によってがんそのものと副作用に関してコントロールの目処がついているタイミングで、行けると主治医が判断して、海外旅行を勧めてくれたんだろうと思います。それは普通のがん治療医の考え方としても、何も矛盾はないです。

僕自身もがん患者の方に旅行を勧めたりはしています。だってがん治療していても、治療そのものが人生の目的ではないじゃないですか。たとえ治療がうまくいって喜んでも、そればっかりやってるんだったら、なんのための治療かわからないですから。

時代の変化

昔では考えられなかった動画やSNSの持つパワー。当然ながらその振れ幅も大きい。今までの人間の歴史にはなかったくらい急激に変わってきているので、みなさんはその「風景」を見ているんだということをわかっておいてほしいと思います。

これから先もどんどん変わっていくだろうし、テクノロジーが発展して便利になるだろうけれど、予想外のトラブルも起こってくるわけです。

がん治療も、昔とはずいぶん変わってきていますから、サニージャーニーがやっているいろいろなことも変化の風景と捉えて、それを見ている方々の人生に役立ててほしいと思います。

押川勝太郎

宮崎善仁会病院・腫瘍内科医。NPO法人宮崎がん共同勉強会　理事長。25年間でがん患者1700人以上を直接治療し、3000回以上のセカンドオピニオンを実施。全国1万人以上のがん患者と直接対話している。運営するYouTube『がん防災チャンネル』(登録者約6・8万人＝2024年2月時点)では、一般の方が匿名でも質問できるがん相談飲み会ライブを毎週日曜夜に開催中。

あとがき

僕は中学生の頃いじめを受けていました。そのため、高校入学時の社交性は皆無。関わる全ての人を、信じられない少年でした。

その後、出会う方々のおかげで徐々に社交性を取り戻していき、20歳前後の頃には表面上は今と変わらない、ニコニコした青年になっていました。

しかし、みずきに出会う前は〝生きている〟という実感が希薄で、それを実感できるのはサーフィンで大きな波に挑戦するときだけ……。

そんな世界の全てが、みずきに出会って変わりました。

みずきのそばにいて見る世界は、ありきたりな表現ですが輝いていて、今日も、明日も、10年後も、ただ一緒にいるだけで〝生きていこう〟と思えるのです。

本書を読んだ方の中には、こうへいの愛の大きさが素晴らしいなどといった感想を持たれてしまった方もいるかもしれません。でも本当の僕は、ただ自分の生きる意味を失いたくなくて、ジタバタしていただけなのです。

そんなどこまでも私的な僕たちの物語が、こうしてみなさんの手に届いたのは全て出会った方々のおかげです。

YouTube の初期にたくさんのアドバイスをくださった沖縄の方々、僕たちの旅を支えてくださったAGAスキンクリニックのみなさん、僕の拙い文章を整えてくださった編集プロダクションのみなさん、一緒に病気と闘ってくださった医療従事者のみなさん、詐病疑惑を晴らすため協力してくださった押川先生、少ない症例を懸命に調べて最善の手を用意してくださった主治医の先生、見ず知らずの僕たちのため進んで支援してくださった多くの方々、僕に前を向く勇気をくれたS、治療の選択に力を貸してくれたMさん、どん底の状況でも連絡をくれた友達や家族、本を作ろうとお声がけしてくださった編集の相良さん、そして数えきれないほどのYouTube の視聴者のみなさん——。

全ての方々の光が僕たちの旅路を明るく照らしてくれました。

本当にありがとうございました。

こうへい

イラスト　みずき
カバー写真　moufoto 冨永勤
装丁　中田舞子
企画・編集　相良洋一

サニージャーニー
こうへい、みずき

サニージャーニーは、こうへいとみずきによる旅行系 YouTuber で、日本一周を目標に活動してきました。しかし、２０２２年11月にみずきがすい臓がんを患ったことにより旅は一時中断。その後、結婚もし、現在は治療や通院、回復の記録も YouTube で発信しています。

Sunny Journey

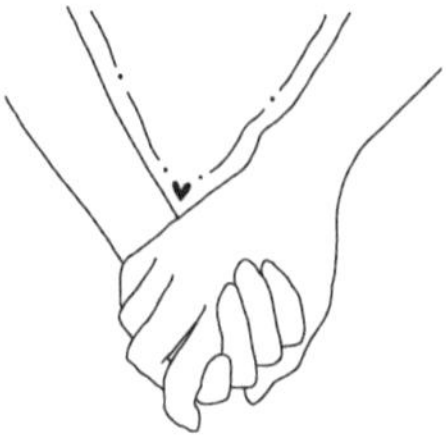

日本一周中《にほんいっしゅうちゅう》に彼女《かのじょ》が余命宣告《よめいせんこく》されました。
～すい臓《ぞう》がんステージ4 カップルYouTuber《ユーチューバー》愛《あい》の闘病記《とうびょうき》～

発行 2024年3月23日 第一刷発行

著者 サニージャーニーこうへい、みずき

発行人 島野浩二

発行所 株式会社 双葉社
〒一六二－八五四〇
東京都新宿区東五軒町三－二八
電話〇三－五二六一－四八三五（編集）
〇三－五二六一－四八一八（営業）

印刷 中央精版印刷株式会社

落丁・乱丁の場合は送料小社負担にてお取り替えいたします。「製作部」宛にお送りください。ただし古書店で購入したものについてはお取り替えできません。

電話〇三－五二六一－四八二二（製作部）

ISBN 978-4-575-31866-1 C0076